Ana
sem terra

Livros do autor publicados pela **L&PM** EDITORES:

Ana sem terra
Com sabor de terra
João Cândido, o almirante negro
Nos céus de Paris
O pacificador
O Velho Marinheiro
Santos Dumont

Coleção **L&PM** POCKET, vol. 646

Texto de acordo com a nova ortografia.

Este livro foi publicado em primeira edição pela Editora Sulina, em formato 14x21cm, em 1990
Primeira edição na Coleção **L&PM** POCKET: outubro de 2007
Esta reimpressão: julho de 2025

Capa: Marco Cena
Revisão: Renato Deitos e Bianca Pasqualini

CIP-Brasil. Catalogação na publicação
Sindicato Nacional dos Editores de Livros, RJ

C451a

Cheuiche, Alcy, 1940-
Ana sem terra / Alcy Cheuiche. – Porto Alegre, RS, L&PM, 2025.
240p. : 18cm – (L&PM POCKET, v. 646)

ISBN 978-85-254-1698-8

I. Romance brasileiro. I. Título. II. Série.

07-3709.
CDD: 869.93
CDU: 821.134(81)-3

© Alcy Cheuiche, 2007

Todos os direitos desta edição reservados a L&PM Editores
Rua Comendador Coruja, 314, loja 9 – Floresta – 90.220-180
Porto Alegre – RS – Brasil / Fone: 51.3225.5777
PEDIDOS & DEPTO. COMERCIAL: vendas@lpm.com.br
FALE CONOSCO: info@lpm.com.br
www.lpm.com.br

Impresso no Brasil
Inverno de 2025

Alcy Cheuiche

Ana
sem terra

www.lpm.com.br
L&PM POCKET

Num dia ensolarado do mês de fevereiro de 1989, um avião agrícola sobrevoou o acampamento dos colonos sem-terra do Rincão do Ivaí, abrindo sobre ele seus esguichos de pesticidas. Morreram envenenadas as crianças:

    Marco Rodrigo Toledo (nove meses)
    Alexandre Batistella (cinco meses)
    Jaime Rhoden (cinco anos)
    Marisa Garcia da Rocha (quatro meses)

Dedico este livro à memória dos quatro pequenos ex-combatentes.

Sumário

Litoral sul do Brasil – *Verão de 1958* / 11
Porto Alegre – *Inverno de 1960* / 36
Fronteira sudoeste do Brasil – *Outono de 1964* / 69
Litoral sul do Brasil – *Verão de 1968* / 93
Porto Alegre – *Inverno de 1970* / 112
Amazônia – *Período das águas de 1976* / 142
Porto Alegre – *Inverno de 1981* / 166
Porto Alegre – *Primavera de 1987* / 186
Alegrete – *Inverno de 1990* / 206
Epílogo / 225

Litoral sul do Brasil

Verão de 1958

O suor escorria pelas costas da mulher. Descia-lhe pelo rosto avermelhado. Moldava-lhe os seios contra o vestido negro. As coxas grossas descolavam uma da outra a cada movimento. A casa de madeira vibrava com as marteladas. Copos tilintavam numa cristaleira. A mão esquerda firmava o prego contra o sarrafo. A direita espantava as moscas, erguia o martelo de ferrador e baixava-o em pancadas ocas.

Ana olhava a irmã como fascinada. Queria falar, mas a voz lhe escorria pelos lábios moles. Heidi, a irmã do meio, embalava um menino recém-nascido. Todo enrolado num pano azul. O rostinho vermelho contorceu-se numa careta e o bebê voltou a chorar. A mãe sacudiu-o mais forte, quase com raiva, e começou a cantar baixinho em alemão:

– *Schlaf, Kind, schlaf. Schlaf, Kind, schlaf.*

O bebê continuou a chorar. Heidi conseguiu falar mais alto que as pancadas do martelo.

– Gisela, pelo amor de Deus! Isso tudo é uma loucura. De que adianta pregar as janelas? Vamos morrer sufocadas aqui dentro. *Bitte, Gisela, bitte, bitte...* Por favor, eu não aguento mais.

Ana olhou para Heidi e depois para Gisela. Um olhar de cabeça inclinada. Quase canino. A irmã mais velha continuava a pregar sarrafos contra as janelas. Trabalho feito com raiva, mas sem perder o método. A distância entre as ripas era sempre a mesma. Gisela não interrompeu seu trabalho. Sempre de costas, respondeu à irmã com voz ríspida:

– Dá de mamar para o bebê e fica calma. Ou tu queres ir viver com o tio Klaus?

Heidi franziu o nariz como a sentir o mau cheiro. Chucrute azedo misturado com charuto barato. O cheiro do tio Klaus. O beijo babado sempre mais perto da boca. Heidi respirou fundo para dominar a náusea. Sua voz rouca soou quase num murmúrio:

– Desculpe, mana. Eu sei que tu tens razão.

A luz do sol filtra-se pelas frinchas do telhado. Sol a pino. Queimando o verde do campo. Secando o leite das vacas. Apodrecendo a água do açude. Apressando a decomposição do corpo do velho Schneider. Raça braba. Corpo mumificado por setenta e dois anos de trabalho duro. Imune a qualquer tipo de doença. Menos mordida de cobra. Duas horas de agonia. Sozinho na lavoura com o arado e os bois. Por que esse velho teimoso não pediu ajuda? Por que tinha que inchar tanto, *mein Gott*?

Gisela manteve o martelo suspenso no ar. Um silêncio viscoso invadiu a sala. Heidi desabotoou o vestido e tentou expor o seio. Grande demais. Ana arregalou ainda mais os olhos verdes. Heidi entregou-lhe o bebê e tirou o vestido por cima da cabeça. Livrou-se dos sapatos e desprendeu o sutiã. Os seios estavam pesados e riscados de veias azuis. Afora o ventre ainda inchado, o corpo de dezesseis anos não notara a passagem da gravidez. Gisela baixou o martelo e acompanhou os movimentos da irmã. Heidi retomou o bebê dos braços de Ana e sentou-se no sofá de espaldar alto, orelhudo. Segurou firme o bebê e aproximou-lhe a boquinha do bico do seio esquerdo. A criança começou a mamar com sofreguidão. Heidi fez uma careta e teve que se dominar para não afastá-la do corpo.

– Como dói, esse diabinho. Parece uma boquinha de jacaré.

– No começo é assim. Depois passa a dor.

Heidi olhou para Gisela com superioridade.

– Como é que tu sabes? Tu nunca tiveste nenhum filho.

– Mas ajudei a criar a Ana. E a *Mami* me contou.

Ana tentou articular uma frase, mas desistiu. Desde que voltaram do enterro, ficara ali sentada na cadeira favorita do pai. Cadeira larga, com forro de pelego. Quente demais para o meio-dia de sol forte. Como o horrível vestido preto, abotoado até o pescoço.

– Tira esse vestido, Aninha. Está muito calor.

A voz de Gisela é doce ao falar com a irmã. Ana levanta-se e desabotoa o vestido. Sete anos de idade. Muito magrinha. Cabelos louros, quase brancos. Grandes olhos verde-esmeralda.

Gisela continua a pregar as janelas. A porta da sala está bloqueada pelo armário de louças. A porta da cozinha com a tranca de ferro e com a caixa de lenha. Das quatro janelas da sala, três já estão pregadas. Oito sarrafos em cada uma. Gisela arqueja. Seu braço direito recusa-se a obedecer. Mas ela o ergue junto com o martelo, sem revelar no rosto nenhuma expressão de dor. Rosto largo, queimado de sol. Cabelos castanhos curtos, nariz reto e lábios finos. Alta como o pai e corpulenta como a mãe. A *Mami,* sempre tão lembrada, que ela substituía desde os quatorze anos. Morta um mês após o nascimento de Ana. Infecção puerperal. Ganhara os quatro filhos sozinha naquela casa. A parteira nunca chegava a tempo. Médico só havia um e sempre ocupado com outros doentes. A *Mami* só tinha trinta e cinco anos quando morreu. E para mim parecia velha. Velha como eu vou ficar se continuar teimando. Tenho só vinte anos. Não seria melhor chamar o tio Klaus e entregar-lhe as crianças? Não sou feia. Posso vender a terra. Trabalhar numa cidade grande. Achar um homem bom para mim.

Vagarosamente, o martelo puxa o braço de Gisela para o chão. Ringindo os dentes, ela o ergue de novo. Força-o a bater sobre o prego. Firme. Sem entortar o prego. Eu não vou me entregar. Eu prometi para a *Mami.* Nunca vender a terra e manter os irmãos sempre juntos. *Immer zusammen.* Foi isso que eu prometi. Heidi é mãe solteira. Sem mim, pode virar prostituta. E o bebê acaba sendo adotado, Deus sabe lá por que tipo de gente. E o Willy? Tem só doze anos. O tio Klaus não acredita em estudos. E o Willy é tão inteligente, tão manso de alma. Pode ser médico, ou até padre, como ele diz que vai ser. Mas com o tio Klaus, até Deus desiste. O Willy acabaria fugindo, virando bandido. Não. Eu não vou me entregar. A terra sempre foi nossa. E vai ser nossa. Enquanto eu viver.

Um cavalo relinchou ao longe. Ana ergueu-se da cadeira e correu até a janela.

– Será o Willy?

Não era. O homem de chapéu de palha passou a trote pela estrada. Mal olhou para a casa fechada e prosseguiu em direção ao imenso paredão de montanhas, do lado do poente. Ana voltou desconsolada para a cadeira do pai. Gisela ficou olhando para o cavalo a levantar poeira. O homem duro sobre os arreios, como um boneco de pau. É o seu Franz. Ele nunca gostou do *Papi*. Desde que a vaca dele morreu na nossa lavoura. Morreu de mandioca nova. Mas ele nunca acreditou. O *Papi* não tinha sorte com os vizinhos. Coitadinho. Como deve ter sofrido! Mas por que não pediu ajuda? Teimoso até no jeito de morrer. Inchou tanto que não coube no caixão. Como me deu vergonha. Tinha gente rindo. Foi cobra-coral. Só pode ter sido. Não aceita remédio nem benzedura. Tenho que roçar as macegas mais altas. Alho não adianta plantar mais. Só é bom para cruzeira. Aí vem a Heidi outra vez com o bebê chorando. Se eu pudesse, eu mimava ela. Mas não posso.

– Meu leite secou, mana.
– Fica calma que ele volta.
– Estou morrendo de sede.
– Quando o Willy chegar, eu mando ele buscar água no moinho.

Moinho. Palavra mágica. Ana aconchegou-se na imagem costumeira. Água correndo limpa por sobre as tábuas da roda grande, emperrada há mais de vinte anos. Desde que abriram o engenho na cidade. Os lambaris subindo a corrente em cardumes prateados. Os pés escorregando nas pedras lisas. Gisela lavando roupa e atenta a todos os seus movimentos. A água ensaboada descendo pela corrente. Willy nadando na parte mais funda. Heidi de vestido novo, namorando o soldado Hans.

O bebê nasceu sardento como o pai. Foi Gisela quem fez o parto. O velho Schneider queria matar o soldado. Mas ele sumiu. Tiveram vergonha de perguntar no destacamento. Ela queria escrever uma carta para o comandante, em Porto Alegre, mas o velho não deixou. Branqueei os queixos sem precisar de autoridade, ele costumava dizer. E quem não é visto não é lembrado. Culpa da guerra. Uma imagem longínqua voltou à mente de Gisela. Parte lembrada e parte contada pela mãe. A casa em reboliço, como hoje. Toda trancada e cheia de medo. Bandos de desocupados andavam invadindo as terras dos imigrantes. Herr Schneider nunca aprendera direito o português. O jeito foi pagar a proteção da polícia. Duas vacas e uma porca com cria. Uma fortuna para quem vivia dos braços. Mas não adiantou. A casa foi atacada quatro vezes. Diziam que ele tinha dinheiro escondido e um rádio que falava com a Alemanha. Um monte de asneiras. O dinheiro mal dava para comprar as coisas que não saíam da terra. E a Alemanha fica muito longe. Do outro lado do mar. Gisela tinha seis anos quando viu o pai chegar em casa com os dentes quebrados, cuspindo sangue. Muitos colonos fugiram para Porto Alegre e São Leopoldo. Gente estranha se apossou das terras deles. Mas Martha e Martin Schneider ficaram até o fim.

– Gisela! Vem vindo alguém!

– Deve ser o Willy. A égua sempre relincha quando ele chega.

– Por onde ele vai entrar?

– Pelo alçapão.

Ana pensou em cheiro de pão novo. E sentiu fome. Ninguém comera naquele dia. Só o bebê. Pão feito em casa. No forno grande, com jeito de capela. O primeiro pãozinho em forma de lagarto. Com olhinhos de feijão.

– É o Willy mesmo. Está rodeando a casa. Rápido, vamos arrastar a mesa.

– É melhor esperar um pouco. E se for o tio Klaus?

– Ele é muito medroso para vir sozinho e nunca anda a pé. Bota o bebê no sofá e me ajuda com a mesa. E tu, Aninha, traz uma faca grande da cozinha. Não precisas me olhar desse jeito. É para abrir o alçapão. Há anos que está trancado.

A casa dos Schneider vista de fora. Uma caixa de madeira retangular sobre alicerces altos, de pedra bruta. Porcos dormindo debaixo do assoalho. Paredes pintadas com óleo queimado. Telhado bicudo, com água-furtada. Telhas francesas desbotadas pelo sol. Um enorme sol de três horas da tarde. Chupando a seiva das plantas. Rachando os pés dos colonos. Dando alegria aos veranistas de Torres e de todo o litoral. Seca braba. Desde setembro, nenhuma gota de chuva boa. Muita armação durante a noite. Muita esperança. Menos para o velho Schneider. Ele conhecia o tempo como os pescadores da Itapeva. A ele não enganavam as nuvens que passavam baixas em direção ao mar. É mentira delas. *Es ist nicht war.* Não vai chover hoje nem amanhã. *Das ist eine Schweinerei.* Só vai dar o milho do moinho, bem junto do arroio. Mas se chover um pouco, eu ainda planto o feijão. Naquela noite caiu uma garoa e ele saiu para lavrar a terra. Ainda era noite quando prendeu os bois. A cobra o mordeu ao clarear do dia. Do dia 2 de fevereiro de 1958. O enterro foi no dia 3, no cemitério de Três Forquilhas. O corpo, inchado demais, não coube no caixão. Foi enrolado num poncho e colocado diretamente dentro do buraco. O carpinteiro Helmuth, por consideração com a família, aceitou o caixão de volta, sem nada cobrar.

– Silêncio, meninas! Não consigo ouvir o Willy.

– Mas nós não estamos falando... E o nenê dormiu.

O grunhido de um porco. E mais outro. Um latido forte de cachorro.

– Passa fora, Joli! Não pula! *Nicht anspringen!*

Ana sorriu. A voz do Willy. Gisela largou o martelo e começou a empurrar a mesa. Heidi entregou o bebê para Ana, colocou o sutiã e apressou-se a ajudar. Erguida a tampa do alçapão, surgiu a cabeça de um menino louro. Olhos azuis, muito vivos. Rosto corado, sorrindo, feliz.

– Tá todo mundo pelado aí dentro? Tio Klaus ia gostar.

— Não diz asneiras e sobe logo! Tá um cheiro de porco que não se aguenta.

— Trouxe água, maninho? Meu leite secou.

— Um balde cheio. Trouxe agora mesmo do moinho.

Água fria em caneca de barro. Gisela foi a última a beber. Depois de lavar as mãos com cuidado, molhou a toalha e começou a passá-la pelo rosto de Ana. Ergueu-lhe os cabelos e passou a toalha pela nuca fina. Pelas costas de pele branca e acetinada.

— Ela não fica linda assim, com os cabelos presos? Parece uma princesinha.

Ana gaguejou, orgulhosa:

— Faltam os... os brincos... de brilhante.

Willy ergueu-se de um pulo.

— Posso pegar no esconderijo, Gisela?

— Não. Agora não. Não é hora para brincadeiras.

Ana baixou a cabeça. Gostava que lhe pusessem os brincos da mãe. Única recordação de tempos melhores, há muitos anos, na Alemanha. Mas Gisela foi inflexível. Parecendo ignorá-la, dirigiu-se ao irmão:

— E o padre, Willy?

— Falei com ele. Prometeu que vem nos ver.

— Aqui ele não adianta nada. Pergunto se ele vai falar com o tio Klaus.

A fisionomia do menino mostrou-se triste, pela primeira vez.

— O padre Alberto disse que não adianta. Que o tio Klaus é muito heré... sei lá, que não acredita... em Deus.

Gisela afastou uma mosca do rosto.

— Herege nós sabemos que ele é. Quem acredita em Deus não junta assim tanto dinheiro e sempre quer mais e mais e mais. Mas o que eu te perguntei é se o padre Alberto vai falar com ele. Vai ou não vai?

Willy sustentou com serenidade os olhos duros da irmã.

— Não vai.

– *Scheise! Scheise! Und warum nicht?* Será que ele tem medo do tio Klaus? Só porque usa saia, como mulher?

O menino aproximou-se de Gisela, que parecia prestes a agredi-lo. Seu olhar terno só era traído pelo tremor dos lábios.

– Eu rezei para Nossa Senhora.

Gisela sentiu que se abria uma brecha na sua decisão de ser má. Mas ainda tinha irritação suficiente para seguir ferindo.

– Enquanto tu rezavas, eu preguei todas as portas e janelas. E carreguei a carabina com chumbo grosso.

Heidi e Ana não tinham coragem de falar. O bebê tomara água com açúcar e dormia em paz. Willy engoliu em seco, duas vezes.

– Vou pegar a arma e ficar de guarda no sótão. Tu precisas descansar.

Gisela avançou a mão direita, grande e avermelhada, até o cabelo revolto do irmão.

– Estás com fome? Não te vi comer desde ontem à noite.

Toda a alegria voltou de imediato ao rosto do menino.

– Seria capaz de comer um boi por uma perna.

– E vocês, Heidi, Aninha?

– Não tinha me dado conta. Mas estou louca de fome.

– E tu, Aninha? Podes falar... Eu não mordo.

– Também estou com fome. Mas posso esperar.

– Vamos fritar uns ovos. Tu fazes o fogo, Willy? Tem lenha na cozinha. Eu vou continuar pregando esta janela.

O menino ergueu-se como uma mola.

– É pra já.

Família pequena para o tamanho da mesa. Comem com apetite os ovos fritos, o arroz branco, a salada de alface. Quase toda a horta estava torrada pela seca. Mas perto do moinho, a parte irrigada pintava de verde a terra arenosa. Milho, alface, algumas abóboras e melancias. O quadrado espinhento de ananases e, subindo o morro em fileiras cerradas, o bananal que dava sustento à casa.

– Quanto dinheiro nos sobra, mana?

Gisela parou de mastigar.

— Muito pouco, Willy. Por quê?

— Amanhã cedo vou montar a tendinha na estrada. Precisamos vender alguma coisa. Para pagar a missa do *Papi*.

Heidi olhou-o com contrariedade.

— O nenê precisa de tantas coisas... Não sei por que cobram missa dos mortos.

Willy encarou-a, sério, uma ruga precoce entre as sobrancelhas cor de palha.

— Para ajudar os mais pobres do que nós. Aqui e em todo o mundo.

Ana olhou-o com curiosidade.

— Todo o mundo é do outro lado do mar?

Gisela acariciou-lhe os cabelos macios. Contato bom para os dedos doloridos. Mas todas as janelas estão pregadas. *Gott sei dank*. Ninguém vai nos tirar desta casa. Eu posso cuidar dos meus irmãos. Muito melhor que o tio Klaus, que qualquer outra pessoa neste mundo. Sem querer, a mão crispou-se sobre a cabeça de Ana. Toda a energia voltou-lhe à voz enroquecida.

— Tu, Aninha, e a Heidi, vão arrumar as camas. Ficar parado não faz bem para ninguém. Parece mentira, mas são quase seis horas da tarde. E tu, Willy, logo que escurecer, podes voltar lá no moinho. Um banho bem esfregado não te faria mal.

O entardecer trouxe o vento do mar e um rumor longínquo de trovoada. Pela terceira vez, o carro preto passou pela estrada, levantando nuvens de poeira. Gisela apontou-lhe a carabina de caça e atirou pela terceira vez. O carro acelerou em arrancos bruscos e sumiu-se entre as dunas de areia. O cheiro de pólvora já fizera Heidi refugiar-se com o bebê no quarto dos fundos. Willy vigiava a estrada do alto da água-furtada. Ana ainda estava com as mãozinhas tapando os ouvidos. Mas não saíra do lado de Gisela.

— Tu estás bem, Aninha? Podes tirar as mãos dos ouvidos. Não vou atirar mais.

Willy desceu correndo a escada do sótão.

– Que susto levou o tio Klaus! Acho que por hoje vai nos deixar em paz.

– Mas amanhã ele volta com a polícia.

O menino olhou para a irmã, com ar de dúvida.

– Na polícia a gente não pode atirar.

– Enquanto tiver cartuchos, eu atiro no tio Klaus, na polícia, em qualquer diabo que chegar perto desta casa. Agora, podes voltar para o sótão.

Ana puxou Gisela pelo vestido.

– Quando morre o pai da gente, a gente tem que ir para a cadeia?

Gisela apoiou a arma contra a parede e ajoelhou-se ao lado da irmã.

– Desculpe, *mein Schatz,* meu tesouro. Eu devia ter te explicado tudo, desde hoje cedo. Nós não temos culpa de nada. Mas é que vocês são menores de idade e eu só tenho vinte anos. Mas no fim do mês vou completar vinte e um e aí nenhuma lei vai tirar vocês de mim.

– Quantos dias faltam para o fim do mês?

– Não sei se este fevereiro é de 28 ou 29 dias... Mas faltam umas três semanas, mais ou menos. Eu nasci no dia 29 de fevereiro, num ano bissexto. Mas isto tudo é muito complicado. Depois eu te explico melhor.

– E o tio Klaus? O que ele quer com a gente?

– O tio Klaus é o nosso parente mais chegado. Se ele não fosse tão sem-vergonha e ganancioso, nós até poderíamos viver com ele. Mas ele sempre quis tomar esta terra do *Papi*. Na repartição da herança, ele conseguiu nos deixar só com 27 hectares. Mas não ficou satisfeito. É a água do moinho que ele quer. Para ele e para vender aos vizinhos.

– Vender água?

– O tio Klaus vende tudo o que puder. Só não vende a mãe porque a pobre da vó Clara já morreu há muitos anos, que Deus a tenha.

Ana fez cara de choro.

— Eu não quero que o tio Klaus me venda para ninguém. *Bitte, bitte,* mana, por favor...

Gisela senta-se com as costas apoiadas na parede e pega Ana no colo. O cheiro de pólvora ainda é forte dentro da sala. O sol já sumira atrás do paredão de montanhas. Mas a claridade ainda é suficiente para Willy controlar a estrada. Melhor eu dar um pouco de carinho à Ana. Coitada. Não tem idade para entender toda esta loucura.

— Eu não vou te entregar para o tio Klaus, nem para ninguém. Só preguei as janelas para ganhar tempo. Eles pensam que eu sou criança para cuidar de vocês. Eu ouvi muito bem os cochichos durante o velório. Mas se nós resistirmos aqui até o meu aniversário, o tio Klaus não poderá fazer mais nada. Com vinte e um anos eu terei direito legal de cuidar de vocês.

— Que bom! E quando tu casares, eu ganharei outro *Papi* também.

Gisela ia responder quando uma batida forte na porta fez-lhe gelar o sangue. Ergueu-se empurrando Ana para o lado e pegou a carabina.

— Willy!? Quem é que chegou? QUEM É QUE CHEGOU? Quem está batendo?

A voz do menino soou abafada do alto do forro.

— Não consigo ver. Ele passou quando eu estava distraído. Procurando um rato. Só não sei por que o Joli não latiu.

Gisela passou o cano da arma pela vidraça quebrada e atirou a esmo, em direção ao céu.

— Pelo amor de Deus! Nossa Senhora! Não atirem mais!

A voz assustada do padre Alberto não chegou a tempo. Uma segunda carga de chumbo passou-lhe rente à cabeça, antes que se atirasse no chão. Dois porcos passaram correndo quase por cima dele e o cachorro surgiu como por encanto, latindo e querendo mordê-lo no pescoço.

— É o padre Alberto, mana! Passa fora, Joli! É o padre Alberto.

Desesperado, Willy passou pela janelinha da água-furtada e deixou-se escorregar pelas telhas, numa manobra que sabia de cor. Agarrou-se depois à extremidade da calha e desceu ao chão em poucos segundos. O padre ainda estava deitado, gritando com o cachorro, os olhos esbugalhados em direção à janela. No interior da casa, Heidi entrava na sala com o bebê aos berros.

— O que foi isso, Gisela? Quem está aí? Quem está ferido?

Gisela sorriu, meio encabulada.

— Ninguém está ferido. Dei dois tiros no padre, mas errei.

Noite fechada. Padre Alberto toma chá de folhas de laranjeira. Seu rosto largo quase não tem relevos. Nariz curto, lábios finos, queixo redondo e sem pelos, como o alto do crânio. Cabelo amarelo circundando a calva, já bem grisalho na base das têmporas. A cadeira de balanço geme com o corpo pesado. De pé junto a ele, Willy abana os mosquitos com um velho exemplar do *Correio do Povo*.

— Tá bem assim, meu filho. Agora podes tirar o cavalo da carroça e levá-lo para beber água. Depois prende ele de novo, que eu preciso voltar. E vocês duas, Heidi e Aninha, façam o favor de ir para dentro de casa. Eu preciso falar com a irmã de vocês.

Silêncio quebrado pelo longínquo rumor de trovoada. Um relâmpago pequeno do lado do mar. Cheiro de pasto maduro, queimado de seca. A única luz, amarela e fraca, vem do lampião da sala. No alpendre, os mosquitos continuam a zunir. Gisela consegue matar um e o tapa fica lhe doendo no pescoço. Esses bichos não acabam nunca, nem com toda esta seca. Deve ser aquela água podre do açude. E este padre que não para de dizer as mesmas coisas. Se não fosse pelo Willy, eu botava ele a correr de novo.

— ...também não morro de amores por ele. Mas o seu Klaus tem razão em querer protegê-los. O Willy só tem doze anos e Aninha sete, não é? E esta menina, a Heidi, mal completou dezesseis anos e já com a responsabilidade de mãe. Se o soldado não voltar para casar-se com ela, quem cuidará de vocês?

– Eu cuidarei de nós. E o senhor já sabe como.

– Não é dando tiros que se cuida de uma família cristã. E você também ainda é uma menina. Com cara feia e tudo.

– Feia eu sei que sou. Até que enfim o senhor disse uma verdade.

– Minha filha... Não é nada disso. Você é uma moça bonita e sempre foi muito estudiosa e inteligente. Você queria estudar para professora, desde pequena, até que morreu sua mãe. Mas ainda dá tempo. Pode vender esta terra e custear seus estudos em Porto Alegre ou Florianópolis. Falei com o seu Klaus a caminho daqui. Ele quer ficar com o moinho e jurou que lhe paga o melhor preço da região. Você vai estudar e ele fica cuidando das crianças até você voltar.

Gisela sacudiu a cabeça, desanimada.

– O senhor não conhece o tio Klaus. Ele quer comprar a terra, mas pagando com apólices, promissórias e outros papéis sujos. E quer ficar com as meninas para esfregar-se nelas, ou coisa pior.

Gisela mais adivinhou do que viu a fisionomia horrorizada do padre.

– Não diga isso, minha filha. O seu tio pode não ser um crente, mas não desceria a tanta baixeza.

Gisela sentiu uma onda de raiva subir-lhe pelos seios até a garganta seca. Ergueu-se da cadeira e dominou o padre com toda a sua estatura.

– Eu tinha dezessete anos quando o tio Klaus tentou me agarrar aí mesmo nesse canto do alpendre onde o senhor está duvidando de mim. Eu sou forte, mas ele é muito mais, um cachaço enorme babando como um cachorro louco. O *Papi* tinha ido a São Leopoldo para o enterro da vó Sigrid, mãe da *Mami*. E deixou aqui o tio Klaus para cuidar das crianças. Era de noite e fazia calor. Eu acomodei os pequenos e saí um pouco para respirar. Ele nem perdeu tempo com carinhos. Me deu um empurrão e rasgou a minha blusa antes que eu entendesse o que estava acontecendo. Eu bati com a cabeça... com a cabeça contra esse... pilar de madeira e...

— Chega, minha filha. Não precisa contar mais. A não ser que o faça em confissão.

A voz de Gisela pareceu brotar do mais íntimo do seu ódio.

— Nada disso, padre Alberto. O que estou lhe contando não se conta de joelhos, em voz baixa, pedindo perdão. Quem deve pedir perdão é o irmão do meu pai, o único irmão do meu pai que ficou aqui para cuidar das crianças. E sabe o que essas crianças fizeram?

— Pelo amor de... Não diga que as crianças assistiram...

Gisela tremia de raiva. Quase não conseguia mais falar.

— Eu também era criança... ainda era no meu coração... no meu corpo todo. Levei meses para me livrar do cheiro do tio Klaus... do cheiro da saliva dele. Mas ele não conseguiu... porque o Willy acordou e... e o atacou pelas costas... com... com a tranca da porta.

Exausta, Gisela pegou o bule de chá e serviu-se com dificuldade.

Padre Alberto também estava emocionado.

— O pequeno Willy... Tão manso de coração. Que idade ele tinha? Oito anos?

Gisela voltou a sentir a presença dos mosquitos e afastou um dos olhos, que não conseguiam chorar.

— Willy tinha oito anos, a Heidi doze e a Aninha tinha três.

— Então, todos eles...

— Todos eles viram tudo. Mas eu fiz eles jurarem que não iam contar para o *Papi*. Senão, o *Papi* ia matar o tio Klaus e passar o resto da vida na cadeia.

— E o seu... tio? O que fez?

Gisela tentou sorrir, mas seus músculos faciais formaram uma careta.

— Ele fugiu daqui e passou uns meses em Porto Alegre, a negócios. O *Papi* nunca entendeu o afastamento dele. Morreu sem entender.

— Foi melhor assim, minha filha. Que Deus a abençoe.

— Obrigado. Fiz apenas o que achei que a *Mami* faria, no meu lugar. O mesmo que estou fazendo agora, pregando portas e janelas, dando tiros em todo mundo, até no senhor.

— Em que dia mesmo você completa 21 anos?

— No dia 29. Se tiver dia 29 este mês. Minha vida é complicada em tudo. Até no dia de nascer.

— Está bem, Gisela. Você pode contar comigo. Vou pedir ao delegado para afastar o seu Klaus desta casa.

— Mas sem contar nada!

Padre Alberto sorriu para si mesmo.

— Passei toda a minha vida guardando segredos... Direi apenas ao delegado que o seu Klaus é ateu e não pode cuidar dos sobrinhos. Que você será maior de idade em poucos dias e tem todas as qualidades para cuidar de seus irmãos. Ou, pelo menos, de suas irmãs e do bebê. Porque o Willy...

Gisela ergueu a cabeça, novamente em alerta.

— O Willy o que, padre?

— O Willy já falou comigo. Se você concordar, ele quer seguir sua vocação.

— Entrar para um seminário? Não seria melhor deixá-lo crescer mais? Para ter certeza?

— Para que esperar? Para tomar o gosto das coisas terrenas? Melhor que ele entre agora, enquanto é mais bobinho. Assim foi comigo e com a maioria de nós.

Gisela ia dizer o que pensava, com toda a sua rudeza, mas dominou-se. Após alguns segundos de meditação, deu sua última palavra.

— Sem o Willy e com a Heidi cuidando do nenê e com mais esta maldita seca, só eu e a Aninha não vamos poder cuidar de tudo. Assim sendo, eu vou lhe fazer uma proposta, um trato, como o senhor quiser. Eu preciso do Willy comigo por mais um ano. Se depois de um ano ele ainda quiser ir para o seminário, eu não o impedirei.

Dez horas da noite. Depois de muita trovoada, a chuva fugira em direção ao mar. Mas deixara o vento estalando nas vidraças. Secando a pouca umidade que ainda havia.

Mudando o formato das dunas de areia. No interior da casa, Willy está de vigia na água-furtada, a carabina na mão direita e uma Bíblia aberta, no colo. A meia-lua ilumina a estrada. A vela acesa afugenta os ratos. O menino lê um pouco e volta a vigiar os arredores, saboreando as palavras de Jesus Cristo, contadas por Mateus.

Cheiro de poeira. De ninhos de ratos. Nos olhos a visão primeira do oásis de Jericó. As tamareiras de largas palmas, ondulando ao vento. O sol forte desenhando as sombras dos peregrinos. A água descendo rápida pelo velho aqueduto romano. Os olhos fixos na estrada, atentos a qualquer movimento suspeito. A mão segurando a carabina. Como um cajado. A caminho de Jerusalém.

Um relincho abafado. Willy sorri. A égua Pitanga. Bem guardada do vento no galpão. A barriga grande com o potrinho que vai nascer. Ainda tenho um ano para viver aqui. Depois vou seguir Jesus Cristo. Ele também gostava dos animais. E nasceu no meio deles como eu. Será que tem bichos no seminário? Horta tem que ter. Viamão é um nome engraçado. Que mão será essa? Meus olhos estão ardendo de sono. É melhor voltar para Jerusalém.

No céu imenso as estrelas cintilavam intensamente. Willy lembrou do pai. Quando as estrelas brilham muito, é porque está ventando no alto do céu. Pobre do meu *Papilein*. Deve estar sentindo falta de nós. Será que ele está me vendo? Nunca gostou que eu mexesse na carabina. Nem para limpar. Será que eu teria coragem de dar um tiro em alguém? Os ratos estão voltando. Dizem que eles são capazes de comer uma pessoa. Mas eu não acredito. Viu? Foi eu me mexer e eles já fugiram. Como será Jerusalém? Imagino como no filme da Semana Santa. As muralhas enormes. Muito vento como aqui. E o templo de Salomão? Não consigo nem imaginar.

Um ruído leve na escada. Ana sobe com cuidado, uma vela na mão e um pratinho na outra. Veste uma camisola comprida de algodão cru. A parte iluminada do rosto sorri, feliz.

— Trouxe um pãozinho com mel, antes de dormir. O que tu estás lendo?

— A Bíblia. Obrigado, estou mesmo com fome.

Ana sentou-se com as pernas cruzadas sob a camisola.

— Queria levar umas cenouras para a Pitanga. Mas a Gisela não deixou.

— Nem poderia. Não tem mais cenouras.

— Pobre da Pitanga. O *Papi* sempre disse que ela tinha que comer cenouras, para o potranquinho nascer forte.

Willy terminou de engolir o pão e limpou a boca com as costas do braço.

— Cenoura tem vitamina A. O *Papi* me disse.

— Assim, igual a remédio?

— Deve ser.

— Quando é que o potranquinho vai nascer?

— A gente nunca sabe. Da outra vez, quando eu abri a porta do galpão, ele já estava lá. Magrinho e meio molhado.

Ana ficou pensativa, o castiçal apoiado no joelho, um dedinho afundando a parte morna do sebo derretido.

— Willy?

— O que foi?

— Tu falou... com... com a Nossa Senhora?

A fisionomia do menino iluminou-se. Depois ficou séria, a mesma ruga precoce entre as sobrancelhas. A luz das velas alongava e encurtava seu rosto. O vento aumentou de intensidade e começou a gemer nas frinchas da parede.

— Tu não vai contar para ninguém?

Ana sorriu confiante, metade do rosto ainda na escuridão.

— Nem para a mana. É um segredo só de nós dois. Conta direitinho como foi. Ela disse se o *Papi* está no céu?

A igreja vazia. Longos bancos lustrados pelo uso. Cheiro de creolina e incenso. Diante do altar, um menino louro ajoelhado. O rosto sardento concentrado na imagem da santa. Uma imagem antiga, esculpida pelos índios missioneiros. Olhos oblíquos, boca carnuda, zigomas salientes. A estatura quase natural. Sobre os ombros, um manto azul desbotado, com estrelas de papel de chocolate.

– O *Papi* está bem. Ainda atordoado, mas aceitando a morte.

– Não fala com essa voz, Willy. Eu fico com medo.

O menino pegou a mãozinha branca, escolheu o dedinho menor e ficou a acariciá-lo.

– Tu queres chupar bico? Eu tenho um aqui no bolso.

Ana pegou a chupeta e colocou-a na boca. Depois de alguns segundos, retirou-a e perguntou ao irmão:

– Tu ouves... a voz dela?

– Não vou mais falar contigo dessas coisas. Até eu às vezes fico com medo. Não medo dela. Medo que pensem que eu sou louco, ou coisa parecida. E não me deixem entrar no seminário.

– Mas tu ouves a voz dela?

– Claro que não. Mas sei, dentro de mim, o que ela está me dizendo.

– Eu não entendo isso. Acho que ainda sou muito pequena.

– Os grandes também não entendem. A primeira vez que me aconteceu, eu tentei contar para o padre Alberto. Mas ele riu de mim.

A voz rouca de Gisela soou através do forro.

– Aninha! Desce logo daí! *Schnell, schnell!*

– Já vou indo, mana!

– E não esquece o prato!

Ana recolheu o pratinho com uma mão, o castiçal com a outra e levantou-se. A chama da vela iluminava em cheio seu rosto delicado.

– Willy?

– É melhor tu desceres logo.

– E a *Mami*? Será que ela já encontrou o *Papi*?

O menino hesitou apenas um momento para responder.

– Acho que não. A *Mami* já está bem mais alto, no Céu.

Quase meia-noite. O vento parou de repente. No quarto das meninas, ligado à cozinha por uma porta sempre aberta, Gisela fala baixo com Ana. Heidi e o bebê estão dormindo. Willy ainda está no sótão, cuidando a estrada e lendo trechos da Bíblia. Gisela insiste com Ana para que durma.

— Só depois da história.

— Hoje não, Aninha. *Ich bin tot müde.* Amanhã eu te conto duas.

— Só um pouquinho, mana. Eu não quero dormir antes da chuva.

— Pois então não vais dormir antes de março ou abril.

— Vai chover hoje. O Willy me disse.

— Grande coisa! Como é que esse guri pode saber?

— Foi a... Não sei como é que ele sabe. *Bitte,* mana. Conta só um pouquinho.

— Não conto. Tu prometeste que não ias chupar mais bico. Que ias botar todos fora.

— E botei mesmo. Este aqui foi o Willy que me guardou... Conta, mana. A história do bivô Schneider. Desde o comecinho.

Gisela suspirou e acomodou-se na cama, ao lado da irmãzinha. Ana sorriu, feliz, arregalando um pouco os olhos verdes. A voz de Gisela soou monótona como uma ladainha.

"Era uma vez uma cidade pequena, lá muito longe, na Alemanha. Ao lado dela passava um grande rio chamado Reno. Ali todas as casas eram iguais, feitas de pedras e com tetos pontudos, para escorregar a neve. Os invernos eram longos e as vacas dormiam com os cavalos na parte térrea da casa. Num jirau ficava guardado o feno que cheirava bem e os grãos de cevada que faziam um ruído gostoso quando os animais mastigavam."

— Igual à Pitanga quando come cenoura.

— Igual à Pitanga quando come milho.

"O dono da casa era ainda jovem e se chamava..."

— Martin Schneider, como o *Papi.*

"Herr Martin Schneider era um homem alto e forte, com barba e bigodes louros e um cachimbo sempre no canto da boca. Usava botas de cano alto, sempre cheirando a esterco, era muito trabalhador e também gostava de pescar."

– Mas só nos domingos.

– Só nos domingos depois da missa.

"Todos eram protestantes, naquela família e em toda a cidadezinha."

– E nós somos católicos por causa da *Mami*.

"E nós somos católicos por causa da *Mami* e por causa do Imperador D. Pedro I. Foi ele quem mandou convidar o bisavô do *Papi* para vir morar no Brasil. Ele mandou um emissário, o major Schaeffer, para contar como o Brasil era lindo e bom para plantar e criar gado. A cidadezinha tinha gente demais e todas as terras estavam ocupadas. O dinheiro valia pouco e os impostos eram altos. E para completar, morreram três vacas de carbúnculo."

– A bivó se chamava Clara, não é?

"A bivó Clara e a filha deles..."

– Ana Maria. Como eu.

"...que se chamava Ana, não gostaram muito da ideia de vir para o Brasil. Mas o bivô era teimoso e vendeu a casa, o resto das vacas e dos cavalos, e deu para elas uns versos sobre o Brasil para elas cantarem tocando piano. Mas vendeu o piano também."

– Como eram os versos, mana?

"Wir treten jetzt die Reise nach Brasilien an;
Sei bei uns, Herr; und weise, ja mache selbst die Bahn;
Sei bei uns auf dem Meere mit deiner Vaterhand!
So kommen wir ganz sicher in das Brasilien-Land."

– Posso dizer em português? Se eu errar, tu me corriges.

"Iniciamos, agora, a viagem ao Brasil;
Esteja conosco, Senhor, indica e abre o rumo;
Esteja conosco no mar com Tua mão paternal!
Assim chegaremos, com certeza, às terras do Brasil."

Gisela bocejou sem levar a mão à boca.

— *Wunderbar*! Agora vamos rezar e dormir.

Ana fez que não com o dedinho.

— Conta até a Lagoa dos Patos. Tu ainda nem chegaste no mar.

— E já estou enjoada que não aguento mais.

— Se tu contares mais, te juro que vai chover.

— E se não chover eu te dou uma tunda.

— Vai chover, vai sim. Podes seguir contando.

Contrariada, Gisela seguiu no mesmo tom monocórdio.

"A viagem por mar foi feita num veleiro chamado..."

— Friedrich!

"...*Friedrich Heirich*. Era um barco lindo e veloz. Levaram mesmo assim mais de dois meses para chegar ao Rio de Janeiro. Nos últimos dias, todos rezavam para enxergar o *Zuckerbrot*."

— O Pão de Açúcar. Aquele morro que tem o bondinho, na parede da sala.

"Do Rio de Janeiro vieram para Porto Alegre na sumaca *Carolina*. Foi a parte mais triste da viagem. O capitão era um bandido e escondeu a comida dos colonos, para vender no Rio Grande do Sul."

— Mas o bivô reagiu e escreveu uma carta para o Imperador. E nós temos uma cópia dessa carta aqui na mesa de cabeceira.

— Que eu não vou ler!

Ana fez cara de choro.

— Se eu pudesse, eu lia. Mas eu não sei ler.

— Em março tu vais para o colégio, eu já te prometi.

— Lê só esta vez, mana. *Bitte, bitte*, por favor.

— Está bem. Mas, terminada a carta, tu vais dormir. Prometido?

Ana já estava com o papel amarelado na mão. Cópia da carta original, escrita num alemão gótico, e com a tradução em português feita pela *Mami*. Gisela desdobrou a carta e leu-a junto à chama da vela.

"Submissa e muito obediente queixa de parte dos colonos em viagem do Rio de Janeiro a Porto Alegre. Dia 4 de janeiro de 1826.

"Mui louvável Governo Imperial:

"Extrema precisão nos obriga e faz indispensavelmente necessário comunicar a um Alto Governo a situação miserável em que nos encontramos e pedir socorro.

"Durante quinze dias estivemos atracados na Praia Grande, perto do Rio de Janeiro, onde fomos alimentados à satisfação de todos. Depois fomos transferidos para o navio *Carolina*, onde nos encontramos atualmente e onde nos foram reduzidos sensivelmente os víveres.

"Inicialmente recebíamos um pouco de biscoito e ao meio-dia feijão e arroz, mas apenas para saciar-nos deficientemente. De um dia para outro, fomos privados dos biscoitos e recebemos, em seu lugar, farinha de mandioca. Inicialmente não sabíamos o que fazer com ela. Depois, a gente começou a prepará-la em frigideiras. Mas tivemos que pagar por isso aos negros que trabalham na cozinha.

"Mas agora também a farinha escasseia, tanto que já não podemos aguentar mais. Antes de chegarmos a Rio Grande, o capitão costumava consolar-nos dizendo-nos que tivéssemos paciência: ele, lá, compraria pão."

– Nem pão eles tinham, mana? Nada para comer?

Sem dar-se conta, Gisela começou a dar emoção à narrativa.

"Mas o capitão não cumpriu com a palavra, pois, quando chegamos ao porto de Rio Grande, ele foi para a vila e, ao voltar, declarou que não havia pão. Depois de muito rogar, quatro pessoas obtiveram licença de passar por lá, de noite, a fim de comprar pão com dinheiro próprio. Apesar da notícia trazida por esses quatro de que havia pão de sobra, o capitão, ao clarear do dia, deu ordens para partir. Os marinheiros haviam trazido um saco cheio de pão e algumas garrafas de cachaça, o que venderam aos colonos ao preço dobrado.

"Já faz três dias que partimos de Rio Grande e estamos a onze milhas de lá, conforme disse o capitão. Vemo-nos diante de nossa própria ruína por causa da viagem expressamente má, dos ventos desfavoráveis e pelo fato de ficarmos seguidamente atolados em bancos de areia. Dizem que o barco está abastecido de víveres para 5 dias somente e é bem provável que mesmo em 15 dias não tenhamos chegado a Porto Alegre."

– É nessa parte que as crianças morrem de fome, não é, mana?

"De manhã cedo, nossas crianças, as que ainda estão vivas, choram gritando de fome. Muitas dessas crianças, e também pessoas idosas, por não estarem acostumadas a esta vida ruim e inusitada, já estão doentes e serão, em breve, jogadas à água."

– Que horror, mana! Não precisa ler mais. Eu quero rezar por eles. Pedir que o capitão seja bonzinho. Guarda a carta, mana. Vamos rezar.

Ana ajoelhou-se e fez o sinal da cruz. Gisela imitou-a. Um trovão forte sacudiu a casa. Heidi acordou e sentou-se na cama. Mas o bebê dormia tranquilo no berço antigo, que servira até ao velho Schneider.

– Por que vocês não dormem? Que horas são?

Gisela olhou para o despertador, grande e barulhento.

– Quase uma hora. A Aninha já está rezando. Podes continuar dormindo.

Ana atirou um beijinho para Heidi e começou a reza de todas as noites:

"Santo Anjo do Senhor, meu zeloso guardador, se a ti me confiou a piedade divina, sempre me rege, me guarde, me governe, me ilumine. Amém. Anjinho da Guarda, me protege. Faça com que eu seja uma menina muito boa, protege meu *Papi* e minha *Mami*".

– Lá no Céu.

"...lá no Céu. Protege meus irmãos e faz com que o capitão do navio dê comida para o bivô e sua família. Nossa

Senhora dos Navegantes, rogai por nós. A bênção, mana. Boa noite."

– Boa noite, meu amor. Eu vou falar com o Willy e já volto.

Soprou a vela e sentiu que Ana a segurava pela mão.

– Deita mais um segundinho comigo. Só até eu dormir.

Noite escura na imensidão da Lagoa dos Patos. Martin Schneider engatilhou a garrucha e preparou-se para o pior. Entre a amurada e o castelo de proa, improvisara uma cama de pelegos para a mulher e a filha. À espera da madrugada, nenhum colono conseguia dormir. Nas noites anteriores, várias mulheres tinham sido violadas. Os marinheiros eram fortes e comiam três vezes ao dia. E ganhavam coragem na cachaça que passava de mão em mão. No porto de Rio Grande, quando descera com mais três companheiros, Martin conseguira compra a garrucha, algumas balas e um polvorinho. Agora ninguém mais chegaria perto da sua família. Pelo menos dois marinheiros eu mando para o inferno. E com a faca, eu ainda posso lutar. Uma tontura forte fê-lo buscar equilíbrio, abrindo as pernas e tateando apoio com a mão livre. Do lado de boreste, a noite já começava a empalidecer. Mas nenhum vento movia as velas murchas. Meu Deus, fazei com que esta noite termine logo. Que Deus? O que ia nos proteger com a mão paternal? Martin sorri amargo entre o emaranhado da barba. O Deus do Brasil é como o velho Odin, do tempo das valquírias. Só protege quem faz correr sangue. É o Deus dos degoladores e dos ladrões. Mas comigo ele está perdendo tempo. Eu vou chegar vivo e comigo a Clara e a Ana. Vamos receber terra, construir uma casa e trabalhar. Vamos povoar este país com gente do nosso sangue. Vamos plantar e colher. Meu Deus, precisamos de chuva e de vento. Deus da minha Alemanha, tende piedade de nós.

– Está chovendo! Está chovendo!

Gisela acorda com o grito de Willy. Estonteada, nem se dá conta do barulho da chuva. O menino entra no quarto e vai tirando as irmãs das camas, excitado e feliz.

– Mana! Heidi! Ana! Está chovendo forte! Venham ver! O dia já está clareando.

A chuva bate no telhado. Gisela e Ana correm até a janela da cozinha e ficam a olhar entre os sarrafos. A terra seca engole água como uma esponja. Mas os primeiros filetes já descem em direção ao açude. Lá do galpão, ouve-se o relinchar da égua Pitanga. Metade do sol avermelhado abre caminho entre as nuvens. Cheiro bom de terra molhada. Gisela sente vontade de tomar café.

Ainda no quarto, Heidi embala o bebê, que acordou chorando. E também chora. Willy está ajoelhado junto dela.

– Não é hora de chorar, Heidi. Está chovendo.
– Para mim não muda nada. Se o Hans não voltar... Não muda nada.

Willy olha para a irmã com o rosto iluminado.

– Eu rezei para Nossa Senhora. Ele vai voltar.

Porto Alegre
Inverno de 1960

O alto-falante soou claro na manhã de sol: "Senhores expositores da raça Hereford. Façam o favor de encaminhar seus animais para a pista principal. O julgamento será iniciado dentro de quinze minutos."

Rafael olhou com orgulho para o touro e sorriu.

– O vovô pode dizer o que quiser, Armando. Mas este ano ninguém vai ganhar do Espada. O pessoal de Bagé e Uruguaiana que vá botando a viola no saco.

Caminhando atrapalhado com as botas novas, o tratador deu mais uma volta em torno do animal. Belíssima pelagem vermelha e branca, impecavelmente limpa. Porte altaneiro, apesar do peso de quase uma tonelada. Cabeça bem proporcionada. Chifres arqueados, exatamente iguais. Linha de lombo lisa como uma tábua. Posterior um pouco musculoso demais. Altura acima da média. Armando inclinou a cabeça com ar de dúvida.

– Não sei, Rafael. O teu avô tem um olho de gavião. E ele sempre gostou mais do Agraciado.

O rapaz olhou com desprezo para o segundo touro, já alinhado atrás do primeiro.

– Só vocês dois para acreditarem nesse perna-curta. Agora tá na moda o Charolês, os bichos bem grandes. Se o jurado não for burro, tem que entender isso.

Sem responder, Armando ocupou-se dos últimos retoques no seu animal preferido. Com mão leve, arrepiou-lhe um pouco mais a pelagem. Um touro de pelo arrepiado nos lugares certos parece mais gordo, costumava dizer. O terceiro concorrente ainda estava preso no seu lugar. Por detrás do animal, uma faixa identificava o criador: *Cabanha Ibirapuitã – Alegrete – Rio Grande do Sul – Bovinos Hereford – Ovinos Corriedale – Cavalos Crioulos*

A maioria dos touros das outras cabanhas, num passo pesado, já faziam fila em direção à pista de julgamento. Armando olhou preocupado para a saída do galpão.

– Onde terá se metido o José?

– Na certa anda lá no meio dos cavalos. Não é à toa que todo mundo chama ele de Zé Matungo.

– A mãe dele morre de pesar... Mas isso tá na massa do sangue. Até o teu avô sempre diz que cria vaca pra tê cavalo.

Rafael sorriu, divertido. Tinha quinze anos de idade. Cabelos pretos bem crespos. Rosto queimado de sol, apesar do inverno. Estatura média. Vestia a indumentária completa de gaúcho, com a naturalidade de quem nasceu numa estância. Botas e bombachas pretas. Cinto largo de couro. Camisa branca, lenço vermelho e uma campeira curta, uruguaia, de pura lã. Armando vestia roupas do mesmo estilo, mais modestas. Mulato escuro. Idade acima dos cinquenta anos. Olhos grandes. Nariz chato. Normalmente calmo e alegre, tocador de gaita de botão. Na hora em que *seus touros* iam ser julgados, ficava cor de cinza. Um tique nervoso repuxando a boca de lábios grossos. O sotaque ainda mais espanholado.

– Se esse piá me fizé passá vergonha na frente do seu Silvestre, eu te juro que cago ele de pau.

– Te acalma, Armando. O vovô sempre diz que o nervosismo da gente passa para os animais. Olha aí! O Espada já está ficando desinquieto. Bota o balde debaixo dele que ele vai urinar.

O alto-falante interrompeu a música para um novo aviso: "Atenção, senhores expositores da raça Hereford! Solicitamos aos retardatários para que levem seus touros imediatamente à pista principal. O julgamento vai começar dentro de cinco minutos."

Junto à cerca branca da pista de julgamento, Silvestre consultou o relógio. O Armando deve estar passando trabalho com aqueles dois guris. Mas com este chato aqui falando de política, eu não posso fazer nada. Deputado não tem outro assunto, puta que o pariu.

– ...é melhor a gente votar mesmo no Jânio Quadros. Milico não tem vocação pra política. E esse general Lott tem jeito de burro, tu não achas?
– Hein?
– Silvestre?! Tu estás dormindo?
– Não, não. Estou só preocupado com os meus touros. Já deviam estar aqui na pista. Não sei o que aconteceu.
– Tu só pensas em pecuária.
– E no que mais eu posso estar pensando? Isto aqui é a Exposição do Menino Deus, Camargo. Desliga um pouco da Assembleia. Enche os pulmões de ar.

O deputado ajeitou os óculos *ray-ban* sobre o nariz afilado e olhou para os animais que entravam na pista.

– Não gosto de cheiro de bosta. Se vocês fazendeiros não cuidarem menos desses bichos e mais um pouco da política, o Brizola vai acabar com vocês. Por falar nisso, como anda a movimentação dos sem-terra lá na fronteira?

No galpão dos bovinos, o moço José chegou assobiando, de mãos nos bolsos. Mulato como o pai. Mais alto e de ombros largos. Apenas o rosto imberbe acusava sua pouca idade. Armando pegou o filho por um braço e arrastou-o até o terceiro touro.

– Na volta do julgamento nós *bamo* conversá, só nós dois.

Zé Matungo piscou um olho para Rafael.

– Que cagaço tá esse velho...
– O que foi que tu disse, guri de merda?
– Nada, nada. Bamo s'imbora que todo mundo já foi.

Armando olhou-o de alto a baixo.

– Bota a camisa pra dentro da bombacha. E cadê o teu lenço colorado?
– Sei lá! Deve tá no baú.
– Pois pega ele e bota no pescoço. Puxá *toro* sem o lenço maragato dá um baita azar.

Dentro da pista de julgamento, os touros vermelhos de cara branca atraíam a atenção de compradores e curiosos.

Dois veterinários de avental comprido organizavam os animais em fila, pela plaqueta de identificação. No centro do gramado, o jurado inglês, alto e corado, contemplava os arredores com um meio sorriso. Identificando Silvestre junto à cerca, acenou-lhe amistosamente.

– Tu conheces esse gringo?
– É o Mister Phillips. Nos conhecemos na Inglaterra, no *Royal Show.*
– Se eu fosse ele, ia pra baixo do guarda-sol... Silvestre! Quem é esse mulherão que vem aí?

Distraído, o fazendeiro olhou primeiro para o deputado e depois para a direção indicada. Liderando um grupo de gente bem vestida, uma mulher alta e esguia vinha ondulando dentro de um *tailleur* verde-musgo, chapéu e luvas da mesma cor. Silvestre deu-lhe as costas rapidamente. Camargo não desistiu.

– Quem é ela, Silvestre? Por que tu estás te escondendo?
– É minha prima Lúcia. Não é o teu tipo. Tem mais de cinquenta anos.
– Não pode ser.
– Isso eu te garanto. Mas o pior é que é casada com o Gastão Torres, de Bagé. Aquele careca que vem atrás dela. O resto do pessoal eu não conheço.
– Mas vais conhecer logo. Estão vindo todos para cá.
– Menos os meus touros...

Mais de perto, a mulher alta revelava a idade. Cabelos pintados de um castanho avermelhado. Rosto muito maquiado. Mas ainda era perturbadora. O deputado perfilou-se. Silvestre abraçou-a e deixou-se beijar no rosto. O perfume almiscarado. Os seios firmes sob o tecido macio.

– Prima Lúcia, sempre linda! Deixa eu te apresentar o deputado Danilo J. Camargo, meu ex-colega de ginásio... Bom dia, Gastão! Estive olhando os teus touros, hoje cedo. São aqueles bem da frente, não é? O jurado não tira os olhos deles.

O concorrente sorriu, irônico, o charuto apagado no canto da boca. A voz saiu enrouquecida pelo pigarro.

– Eu também já examinei os teus. Aquele mais baixo vai me dar trabalho. É filho do campeão de Palermo, não é? Daquela vez em Buenos Aires tu me passaste a perna, safado.

O deputado apertou a mão enluvada de Lúcia, olhando-a firme nos olhos azuis.

– A senhora tem uma semelhança incrível com uma artista de teatro. Acho que é... Não consigo lembrar o nome.

– Maria Della Costa, talvez?

– É isso mesmo! E parecida para melhor.

Lúcia sorriu envaidecida e apresentou-o ao marido e aos amigos. Farejando eleitores, Camargo foi guardando os nomes com cuidado. Depois os escreveria na caderneta e seu secretário acharia os endereços na lista telefônica. Lúcia deixou-o repartindo cartõezinhos e pegou o braço do primo. Seu olhar aprovador passou pelo cabelo grisalho, farto e ondulado, pelo rosto de traços másculos, pelo terno de alpaca inglesa, cor de chumbo. Cansada do desleixo de Gastão, apreciou a camisa branca bem engomada. A gravata vermelha com pregador de diamante. Se ele fosse um pouco mais alto, seria perfeito. Mas nem se compara com esse bugio babão do meu marido.

– Tu estás lindo, Silvestre. Cada vez mais moço e forte.

– E tordilho e cheio de rugas, como terra lavrada.

– Para mim, tu não mudaste nada.

– Fiz sessenta anos no dia 16 de julho. Agora só me falta operar a próstata.

– Não fala em idade... Como o teu cabelo está bonito! Estás usando algum xampu estrangeiro?

– Só água da sanga, como sempre... Lúcia! Graças a Deus! Lá vêm os meus touros.

– Aquele rapaz que vem puxando o da frente é o Rafael? Como está crescido! Vai ser bonito como o avô, ou quase. Rafael! Estamos aqui!

Lúcia abanou para o rapaz com entusiasmo. Preocupado em conduzir bem o animal, Rafael apenas sacudiu a cabeça. Atrás dele, Armando tirou a boina para cumprimentar o patrão. Zé Matungo olhou para Lúcia e baixou os olhos ao ver a cara carrancuda de Silvestre. A porteira foi fechada rapidamente detrás dos retardatários.

– O Rafael não tem quase nada do pai dele. O Khalil era charmoso. Mas com aquele nariz...

– A Marcela é um retrato do Khalil. Com os traços mais delicados, é claro.

– Não vejo a Marcela há anos.

– Está interna aqui em Porto Alegre. No Colégio Bom Conselho.

– Eu fiquei com horror de internatos.

– Por mim ela não tinha vindo. Foi ela mesma que insistiu, para se preparar melhor para o vestibular. Acho que o julgamento vai começar, finalmente. O tempo já está piorando.

– Nesta época, sempre chove de tarde.

No centro da pista, o inglês olha para o céu. Nuvens escuras escondem o sol. O vento agita as bandeiras no pavilhão das autoridades. Sob o guarda-sol de praia, plantado no meio da pista, papéis voam da mesa dos comissários. Impaciente, afinal, o jurado respira fundo. Cheiro de pipoca e churrasco. Correria de crianças pelas alamedas. Relinchar distante de cavalos. O jurado vira-se para o intérprete e pergunta mais uma vez:

– *Could we start now?*

– *Yes, Mister Phillips, I think so.* Podemos começar o julgamento, pessoal? O inglês já está perdendo a fleuma.

– Vamos em frente. O secretário da Agricultura já chegou.

Atento a todos os movimentos, Armando ajeita a boina na cabeça e cochicha para Rafael:

– Agora os home vão começá de verdade. Vê se consegue levantá mais a cabeça do teu *toro*. Se ele empacá, cutuca no meio do casco com a vara.

– Já sei, professor. Só anda de cabeça baixa quem tá procurando dinheiro.

Liderado por Lúcia, o grupo de fazendeiros se instalara no pavilhão oficial. A contragosto, Silvestre sentou-se junto deles. Não gostava de ver o julgamento junto dos concorrentes mais fortes. E aquele touro King Red do Gastão é bom de verdade. O porco não toma banho, mas entende de zootecnia. Agora é ter paciência e aguentar o cheiro do charuto. Será que esse monte de banha ainda dorme com a Lúcia? Melhor nem imaginar.

Duas horas se passam rapidamente para o povo. Para os criadores, cada minuto é um suplício. O inglês parece brincar com os nervos dos principais concorrentes. Caminhando em círculo amplo, os touros foram observados durante cerca de dez minutos. Depois o jurado fez parar o passeio e examinou cada um dos animais. Com ar sinistro, levou a mão diretamente aos locais dos defeitos, por mais insignificantes. Patas levemente desviadas, ossos finos, ondulações na linha de lombo. Pouco a pouco, os piores animais foram sendo postos no fim da fila. Entre eles, o Espada de Rafael. Lá na frente, entre os melhores, Armando puxava garboso o touro Agraciado. Silvestre procura manter a calma. O touro de Gastão acaba de ser posto em primeiro na fila. Sem saber de nada, o bicho continua a caminhar calmo e pesadão. Mas muitas pessoas já acenam para o marido de Lúcia. O gorducho ignora as manifestações e dá mais um chupão no charuto. Silvestre sente falta de ar. É duro perder para esse babão. E o que foi, agora? Surpreendido, sente duas mãos macias a tapar-lhe os olhos.

– Adivinha quem veio lhe dar sorte?

– Marcela?! Como é que tu vieste até aqui?

– De bonde. Fugi do colégio na hora do recreio.

Silvestre levantou-se e contemplou a neta com ternura. Cabelos pretos cacheados. Testa ampla. Sobrancelhas cerradas. Olhos cor de mel. O deputado, já em posição de sentido, preferiu olhar para os lábios carnudos. E adivinhar a beleza do corpo dentro do uniforme escolar.

– O senhor não está brabo comigo, não é, vovô?

Silvestre beijou-a no rosto, procurando manter a fisionomia severa.

– Vamos ver depois. Tu conheces o deputado Danilo J. Camargo? Foi meu colega no Colégio Anchieta.

Marcela guardou uma imagem rápida do cabelo pintado de preto. Dos óculos *ray-ban*.

— Muito prazer, senhor. Vovô! Olha lá a tia Lúcia! Tia Lúcia! Sou eu, a Marcela! Como a senhora está bonita!

Diversas pessoas tiraram os olhos da pista de julgamento. Alguns homens levantaram-se. Marcela passava e sorria. Lúcia abraçou-a com carinho.

— Marcela, meu anjo! Repara só, Gastão, a beleza que está a Marcela.

Gastão virou os olhos empapuçados em direção à moça.

— O nariz é de turca, como o do pai.

Marcela não se deixou intimidar.

— Tio Gastão, adoro a sua franqueza. Deixe eu lhe dar um beijo.

— Cuidado com o charuto.

Pouco depois, reacomodado o grupo de fazendeiros, Marcela ficou sentada entre Silvestre e Camargo. Pela primeira vez, seus olhos curiosos se fixaram na pista. O jurado havia feito novas mudanças na ordem dos competidores. Mas o touro de Gastão Torres continuava em primeiro lugar.

— E o Rafael, vovô?

— Está bem lá atrás, o penúltimo da fila.

— Coitadinho. Ele tinha tanta esperança no touro Espada... Mas o seu Armando está lá na frente, em segundo lugar. Olhe como ele caminha orgulhoso.

— Quer chamar atenção do jurado. Para melhorar de posição.

— E o Lord Nélson? Não vejo daqui.

— É o oitavo da fila. Ali à esquerda do guarda-sol. O José que está puxando.

— Aquele é mesmo o Zé Matungo? Como cresceu desde as férias... Vovô! Deixe eu pegar sua mão. O senhor está nervoso.

— Mais ou menos. Não gosto de perder para o Gastão.

— Será que não tem mais esperança?

Silvestre encolheu os ombros largos.

– O Mister Phillips não vai demorar em nos dizer.

A chuva parecia ter contornado o parque. O sol brilhava outra vez sobre a grama verde. Com gestos decididos, o inglês retirou a gabardine, que lhe dava um ar de detetive. Com passos largos, dirigiu-se à mesa dos comissários e deixou a capa sobre uma cadeira. Armando seguia todos os seus movimentos como hipnotizado. O inglês chamou o intérprete e lhe disse algumas palavras. Imediatamente, os técnicos de avental branco seguiram as instruções do jurado. Todos os animais, com exceção dos dois primeiros, foram sendo retirados para junto da cerca. Mister Phillips caminhou para o centro da pista e consultou seu relógio. Cinco para o meio-dia. Chegara a hora de atribuir um dos prêmios mais cobiçados da exposição. O campeão da raça Hereford que o gaúcho chamava carinhosamente de "pampa". Silvestre começou a transpirar debaixo dos braços. Buscando imparcialidade, concentrou-se nos dois animais. Quase idênticos vistos à distância.

– O que tu achas, Marcela?

– Ganha o nosso, vovô. Estou sentindo dentro de mim.

– Pois então te prepara que vem aposta.

– O tio Gastão?

– Quem poderia ser mais?

Gastão Torres levantou-se nas pernas gordas e acenou para Silvestre. Seus olhinhos brilhavam de prazer.

– O que vamos apostar desta vez, primo Silvestre?

Primo Silvestre. Esse filho da puta está certo de que vai ganhar. Agiota não prega prego sem estopa. E toda essa gente me olhando com cara de imbecis.

– Quem sabe deixamos para a Lúcia e a Marcela decidirem?

Antes que o marido respondesse, Lúcia antecipou-se.

– Um jantar para dez pessoas na Adega do Lajos.

Marcela levantou o lance.

– Para vinte pessoas e com vinho francês.

Entre risos fingidos foi fechada a aposta. Silvestre voltou a concentrar-se na pista, acariciando a mão suave de Marcela.

O deputado Camargo não tirava os olhos da menina. Visto de perfil o rosto tem um apelo oriental. Os cabelos me agradam muito. E os seios devem ser grandes, como eu gosto. Se ela cruzar as pernas outra vez, eu vou-me embora. De maiô ela deve ser sensacional. E de biquíni? Não deve usar. O Silvestre é bicho xucro da fronteira. É melhor eu olhar para a pista. Se ele me pega flertando com essa guria, é capaz de me capar.

Consciente do seu papel, o jurado continuava a examinar cuidadosamente os dois touros. Em cada um repetiu o ritual de abaixar-se para examinar os aprumos e logo levantar-se para sentir a textura das ancas, com as mãos espalmadas. Uma nova consulta na planilha para verificar idade, altura e peso. Armando não aguentava mais. De pé ao lado do touro, começou a rezar mentalmente um Pai-Nosso. Sem pressa, o inglês caminhou até a mesa dos comissários e pegou a roseta de campeão. Um arranjo de fitas em verde, amarelo e vermelho. Todos os olhos se fixaram naquele símbolo tão cobiçado. Mais até que as estatuetas e taças de prata que seriam entregues no fim da exposição. Por alguns segundos o jurado imobilizou-se frente aos dois finalistas. Num gesto brusco, aproximou a roseta tricolor da cabeça do touro Agraciado e esperou as palmas, que logo saudaram seu gesto. Armando tirou a boina. Com mãos trêmulas, recebeu a roseta de campeão e prendeu-a no buçal do touro.

Muita agitação no pavilhão oficial. Marcela abraçou-se ao avô, chorando de alegria. Depois deixou-se abraçar pelo deputado Jota Camargo, que também parecia muito emocionado. Silvestre ficou pequeno para os abraços, os vigorosos tapas nas costas. Boa perdedora, Lúcia sorria com sinceridade. Gastão ainda olhava para a pista à espera de um milagre. Surgido não se sabe de onde, um locutor forçou passagem para entrevistar Silvestre.

– Foi justo o julgamento, na sua opinião?
– Bem, como criador do touro campeão, só posso dizer que sim. Essa pergunta o senhor deveria fazer ao segundo colocado.

– Oportunamente será feita, senhores ouvintes. No momento estamos entrevistando o proprietário do campeão Hereford que arrebatou para Uruguaiana...

– ...para Alegrete. Cabanha Ibirapuitã.

– Exatamente. Que arrebatou para a terra de Osvaldo Aranha este tão ambicionado troféu. Seu nome, por favor?

– Silvestre Pinto Bandeira.

– Exatamente. Cabanheiro tradicional, com muitos prêmios, o senhor tinha aqui, conforme o catálogo, três animais em pista. Acha que o melhor deles foi o premiado?

Contrariado, Silvestre afastou um pouco o microfone da boca.

– Sob o ponto de vista do jurado inglês, o julgamento foi correto.

– E no seu ponto de vista?

– Eu crio gado para produzir carne. Enquanto as raças inglesas dominarem o mercado, nós estaremos produzindo proteína nobre, com exportação garantida para o excedente da produção.

– Quer dizer que o senhor é contra o Charolês e o Zebu?

– Não sou contra nenhum tipo de gado. Apenas acredito que não se deva jogar fora mais de meio século de seleção bovina, trocando de raça sem razão.

– Mas o Charolês e o Nelore são mais precoces e pesados que o Hereford, o Devon e o Aberdeen Angus.

– Sem dúvida, mas na hora de fazer um churrasco, qual dessas raças o senhor escolheria?

Risos aprovadores. O locutor desviou-se para um comercial. Adiantando-se, Camargo pegou-o por um braço.

– Tudo bem, Almiro? Não conhece mais os amigos?

– Deputado Jota Camargo! Senhores ouvintes, temos conosco aqui no pavilhão oficial da Exposição do Menino Deus o conhecido parlamentar Danilo Jota Camargo, da União Democrática Nacional. Deputado Jota Camargo, não sabíamos que o senhor também era apreciador da pecuária...

– E como não? A pujança do nosso Estado está estribada na agropecuária. Infelizmente ameaçada em sua estrutura secular pela camarilha brizolista que... Almiro! Este teu gravador não está desligado?

Descendo até a pista, Silvestre apertou a mão do jurado e posou para diversas fotografias. O touro Agraciado, finalmente desinquieto, piscava para os *flashes* e exigia toda atenção de Armando. Dirigindo-se ao capataz, Silvestre abraçou-o pela vitória. Em voz baixa, disse-lhe quase no ouvido:

– Quebramos o corincho do Gastão, hein, companheiro?

– Quase nem acredito, patrão. Me deu um frio na barriga quando esse gringo *vermeio* me deu a roseta. Mas o Agraciado merece. E o senhor apostou nele desde terneirinho. Só não fico mais contente por causa do Rafael. Ele botava confiança *demás* no Espada.

– Onde está o Rafael?

– Ele e o José tão levando os otros *toro* pro galpão.

Um homem de grande estatura aproximou-se de Silvestre. Junto dele, com maneiras servis, um jovem tipo executivo abordou o fazendeiro.

– Dr. Silvestre Bandeira?

Silvestre sorriu.

– Descontando o doutor, é o meu nome.

– Desculpe. Eu sou o gerente local do American Rural Bank. Permita-me apresentar-lhe nosso diretor-presidente, Mister Paul Baxter.

Silvestre olhou para cima.

– Muito prazer.

– O prazer *es mio*, *señor* Bandera, malgrado creia que já nos apresentaram uma vez, em Montevidéu, na Exposição do Prado.

O sotaque era pesado, mas inteligível. Silvestre fixou o rosto pálido do americano. Impecavelmente barbeado. Cabelos totalmente brancos e sobrancelhas escuras. Nariz e lábios finos. Pescoço comprido, com um visível pomo de adão.

– Lamento, Mister Baxter, mas não me recordo. Esses bichos me fazem viajar pelo mundo todo. E sou mau fisionomista.

– Não importa. Me gostaria *solamente* de fazer-lhe una *pregunta*.

– Estou à sua disposição.

O americano apontou para o touro campeão, cercado de curiosos.

– Me gostaria saber se ele está à venda. *Tenemos* um Centro de *Inseminación Artificial* en la província de Buenos Aires e este animal *puede* ser-nos de grande utilidade.

Silvestre sentiu um peso no estômago. Não gostava de vender seus melhores reprodutores. Sem querer, deu uma olhada rápida para o Agraciado. Com uma mão apoiada no lombo do animal, a outra sobre o ombro de Marcela, Jota Camargo deixava-se fotografar para a posteridade. Silvestre teve que sorrir. E esse é o sujeito que não gostava de cheiro de bosta.

O americano interpretou o sorriso como favorável a sua pretensão e sorriu também, logo imitado pelo executivo. Silvestre respirou fundo. Vamos com calma. É só botar um preço lá nas nuvens e ver a cara de susto deste gringo.

– Dois milhões de cruzeiros à vista. Por menos que isso não me desfarei do campeão.

Paul Baxter endureceu a fisionomia. Virando-se para o assistente, perguntou-lhe em voz baixa e autoritária:

– Quantos dólares fazem esses dois *millones de cruceros*? *How much?*

– Mais ou menos uns...

– Mais ou menos *no! I want to know exactly!* Exatinho, Mello.

Assustado, o executivo puxou uma caneta do bolso, desatarrachou a tampa e rabiscou os cálculos numa caderneta.

– Exatamente cento e oito mil, duzentos e quarenta dólares e trinta e cinco *cents*.

– *One hundred and eight?*

– *Yes, sir.*

O americano sorriu e espichou uma mão branca para Silvestre.

– O touro é nosso, senhor Bandeira. Para onde devemos mandar *sus dos millones de cruceros*?

Dez horas da noite. O restaurante está repleto. Cheiro discreto de boa comida e perfume caro. Jota Camargo está feliz. Se não fosse esse salário mixuruca de deputado estadual, eu só comia em restaurante fino. Dois milhões de cruzeiros por um touro... E o Silvestre nem sabe o que fazer com esse dinheirão. É o mesmo que enfiar toucinho em cu de porco... Que vinho maravilhoso! É pena que a Marcela não tenha vindo. O negócio é se consolar com a balzaquiana.

– Dona Lúcia, que lástima o seu marido não ter vindo! Gostaria de saber como vai a campanha presidencial em Bagé. A senhora vota no Jânio Quadros, naturalmente?

Lúcia deu uma baforada no cigarro e pousou seus olhos azuis no rosto vermelho do deputado. Esse penetra parece que nunca tomou vinho francês. E sem os óculos escuros é ainda mais insignificante. Acho que na saída vou receitar uma tintura nova para o cabelo dele. Juro que vou.

– O Gastão vai votar no Jânio. Eu ainda não sei.

– Não me diga que vai votar com os trabalhistas?

– De jeito nenhum. Essas conversas de reforma agrária são uma vergonha.

– E então?

– Então, não sei. Talvez vote em branco. Acho que o primo Silvestre também não morre de amores pelo Jânio, não é verdade?

Silveste terminou de engolir uma garfada de *strogonoff* e sacudiu a cabeça, concordando. Camargo apontou um dedo magro para a gravata vermelha do fazendeiro.

– Mas o Partido Libertador está apoiando o Jânio Quadros.

Silvestre ergueu a mão esquerda espalmada.

– Vai com calma. Eu não disse que não vou votar no teu maluco. Só digo que não gosto dele. Acho que ele é tanto ou mais demagogo do que o Brizola.

Jota Camargo saboreou o *Chateauneuf du Pape,* juntando os lábios como num beijo.

– O Jânio Quadros é o político mais inteligente do Brasil.

– Por isso ele põe talco na roupa, para fingir que é caspa?

Lúcia olhou horrorizada para Silvestre. Rafael, bem penteado e endomingado, não conseguiu segurar um riso infantil.

– Dizem que ele leva até gaiola com ratos nos comícios, não é vovô?

O desgosto no rosto de Lúcia era real.

– Caspa, ratos, pelo amor de Deus! Será que vocês não tinham ninguém melhor para nosso candidato? Onde está a tradição do Partido Libertador? Os ossos do Dr. Assis Brasil devem estar tremendo no túmulo.

O pianista retornou ao seu lugar e começou a tocar uma música suave. O restaurante do City Hotel, lotado quase só de fazendeiros, começava a despovoar-se. Silvestre tomou um gole de água mineral e abafou um bocejo.

– O político aqui é o Camargo. Deixo com ele a palavra.

O deputado acomodou-se melhor na cadeira.

– O meu partido, a UDN, também não queria o Jânio Quadros. Nosso candidato natural à presidência é o Carlos Lacerda. Mas o povo ainda culpa o Lacerda pelo suicídio do Getúlio. Assim, o negócio foi colocar um candidato populista para tirar votos dos trabalhistas.

– E os trabalhistas aceitaram um general com fama de durão para tirar votos dos conservadores. Que salada vocês conseguem fazer!

– Desculpe, Dona Lúcia, mas quem fez o general Lott candidato não foi a caça aos votos das elites. Quem deu essa jogada de mestre foi o Juscelino.

– Como assim?

– O Juscelino está deixando o poder com muito prestígio. O mundo todo quer conhecer Brasília, a ousadia de

Oscar Niemeyer, o sonho de Le Corbusier. Pouco importa os milhões enterrados no meio do cerrado. Pouco importa os ouvidos dos deputados cheios de poeira vermelha.

– E os bolsos recheados de dólares. Dizem que o Juscelino comprou um por um os congressistas para eles saírem do Rio de Janeiro.

– Pode ser, Silvestre, pode ser. Mas a verdade é que o Juscelino prometeu cinquenta anos de progresso em cinco de governo e o povo está acreditando que ele conseguiu. A marcha para oeste vai eleger o Juscelino presidente outra vez em 1965. Mas isso se a aliança PSD/PTB perder a eleição deste ano. E nenhum candidato seria melhor para perder do que o Lott.

– Quer dizer que o Kubitscheck quer que o partido dele perca a eleição?

– Eleito o Jânio Quadros, o Juscelino espera que toda a culpa desta inflação caia em cima dele. Que o achatamento salarial leve o povo ao desespero. Que os industriais de São Paulo sintam saudades dos tempos felizes em que importavam sucatas sem pagar impostos. Isso sem falar nas multinacionais. O Juscelino tem sido um pai para elas.

Lúcia tirou mais um cigarro do maço. Camargo apressou-se em acendê-lo. O perfume almiscarado parecia brotar diretamente do vão dos seios. Seguramente ela fez plástica no Rio de Janeiro. Será que fica alguma cicatriz? Numa dessas eu acabo descobrindo.

– Obrigada, doutor Camargo, e pela aula de política também. Só uma coisa eu não entendi direito. Se o Lott vai perder a eleição, como ficará o João Goulart? Duvido que ele perca de propósito para ajudar o Juscelino.

– O Jango está quieto porque vai se reeleger vice-presidente. Os trabalhistas votam em peso nele, mesmo com essa dissidência do Ferrari. E muita gente vai misturar as chapas. A dupla Jan-Jan, Jânio-Jango, tem até propaganda impressa em São Paulo e no Nordeste.

– E nisso tudo, onde está a inteligência do Jânio Quadros? O senhor quer mais vinho, doutor Camargo? Pode pedir ao garçom. Está dentro da aposta.

Silvestre sacudiu a cabeça com energia. Seu cabelo grisalho, farto e ondulado, dava-lhe um ar de poeta.

– De jeito nenhum, prima. Aquilo foi uma brincadeira com a Marcela.

– E a pobrezinha teve que voltar para o colégio. Essas freiras são horríveis. Bem que podiam ter deixado a Marcela dormir esta noite aqui no hotel.

– Já foi um trabalhão convencer a diretora a aceitá-la de volta hoje à tarde. A madre disse que ela anda fumando escondida e usando batom na aula. Tive que me humilhar para convencê-la.

– Além daquele donativo para a reforma da capela.

Silvestre sorriu com ar maroto. Jota Camargo mostrou a garrafa vazia para o garçom e ergueu o polegar. Rafael tirou o dedo do nariz, assustado com a história do cigarro. O pianista sonolento tocava *Luzes da ribalta*. Lúcia olhou para a boca do primo. Tantos anos e eu nunca esqueci daquele beijo. Nem das mãos quadradas e ásperas. Como o Silvestre é sólido e constante! E eu deixei escapar este machão por aquela lesma do meu marido.

– Por onde anda o Gastão, Lúcia? Espero que não esteja brabo comigo.

– Despeitado ele está, como é natural. Mas só não veio jantar conosco porque tinha uma reunião na Farsul. O doutor Saint-Pastous está preocupadíssimo com o movimento dos sem-terra. O pessoal que foi desapropriado no Banhado do Colégio só fala em comprar armas e...

Silvestre botou uma mão no braço da prima.

– É melhor a gente falar mais baixo, querida. Esse assunto é muito perigoso. Dizem que a polícia do Brizola anda espionando até nos galpões da Exposição.

– Desculpe, meu anjo. Vamos continuar falando de política.

Rafael fez uma careta.

– Já estou cheio de tanta sujeira.

Jota Camargo fuzilou o rapaz com um olhar avinhado. Esse putinho já pensa que é gente. Mas eu boto ele no lugar.

– O que tu chamas de sujeira é o que te garante a liberdade de criar touros de dois milhões de cruzeiros e comer bem três vezes por dia.

Silvestre repetiu seu gesto de paz.

– Quatro vezes, Camargo. O Rafael não dispensa o café da tarde. E por falar nisso, quem vai tomar um cafezinho? Acho que o pianista está com sono.

Lúcia olhou por cima do ombro e sorriu.

– Ele é assim mesmo. Tem a cara sonolenta do Robert Mitchum. Mas se tiver público, fica tocando até as quatro da manhã.

– É a hora que eu costumo me levantar lá na estância.

Lúcia voltou a acariciar a mão do primo.

– Vamos ficar só mais um pouquinho. O doutor Camargo ainda está me devendo uma resposta. Por que o Jânio é o político mais inteligente do Brasil? Para mim, é só o mais maluco.

Jota Camargo dilatou as narinas.

– Com todo o prazer, Dona Lúcia. E para isso, bastará que eu lhe conte uma pequena história. Um fato real que prova a capacidade infernal do Jânio para a improvisação.

– Para dar um jeitinho, o senhor quer dizer.

– É isso mesmo. Num país como o nosso, um general reto e duro como o Lott não consegue avançar na política. É preciso ser maleável para vencer os obstáculos, desmanchar as armadilhas de adversários e correligionários.

Rafael intrometeu-se outra vez.

– Ser assim meio sem-vergonha, o senhor acha?

O deputado engoliu meio cálice de vinho e forçou-se a sorrir.

– Para a singeleza do povo ignorante, poderia ser essa a palavra. Mas a política é a arte dos vitoriosos. E para vencer, o Jânio adapta-se a qualquer situação, como aconteceu recentemente na Bahia. Um fato que me foi contado por um colega do próprio *staff* do Jânio e lhe provará, Dona Lúcia, a inteligência superior do nosso candidato.

No desejo de ficar mais alguns momentos ao lado de Silvestre, Lúcia estimulou o deputado a prosseguir.

– Estou curiosíssima, doutor Camargo. E se for convencida, lhe prometo meu voto.

Jota Camargo baixou o tom de voz.

– No mês passado, o Jânio foi à Bahia, em campanha para a presidência. Sabendo que o arcebispo de Salvador lhe negava apoio, por não considerá-lo católico praticante, ele conseguiu uma audiência com o prelado, que tem influência enorme sobre os eleitores de metade do Nordeste. No caminho do aeroporto à Cúria, o Jânio foi perguntando ao presidente da UDN local tudo que ele sabia sobre o arcebispo. Uma parada dura. Quase oitenta anos de idade. Vida religiosa sem nenhum escândalo, nenhuma falha. À primeira vista, parecia uma muralha intransponível. Mas o Jânio não desistiu. Será que ele não tem nenhum capricho humano? Um viciozinho qualquer? Nada. Será que ele não faz outra coisa além de rezar? Parece que gosta também de poesia. Até escreveu um pequeno livro de poemas sobre a sua infância. Um livrinho de poemas? E onde se poderia encontrar essa *maravilha*? Talvez na biblioteca pública. Pois então vamos para lá. Preciso olhar esse livro antes da entrevista.

Jota Camargo mediu a atenção dos ouvintes e prosseguiu:

– O livro era uma porcaria chamada *Tempos de anjo* ou coisa parecida. O presidente da UDN tomou um exemplar emprestado na biblioteca e Jânio concentrou-se em sua leitura até chegarem na Cúria. Deve ter tido no máximo uns quinze minutos para isso. Chegada a hora da entrevista, o arcebispo recebeu o candidato friamente. A ele não haviam convencido aquelas fotografias do Jânio Quadros ajoelhado na Catedral da Sé. Mas, como todo mundo, tinha curiosidade de conhecê-lo pessoalmente. Pouco a pouco, a sinceridade do Jânio foi agradando ao arcebispo. Tinha cara de doido, mas parecia ser um cristão fervoroso. Suas ideias eram firmes sobre o valor da família, da tradição, da propriedade inviolável. Chegado o momento de partir, Jânio pediu ao arcebispo para fazer-lhe uma confissão. E disse-lhe que tinha vindo visitá-lo não apenas como religioso, mas também como admirador da poesia. De um só arranco, sob o olhar lacrimejante do ancião, declamou-lhe estrofes inteiras do *Tempos de anjo,* seu livro de cabeceira, sua redescoberta da infância. Foi uma vitória arrasadora. No dia seguinte, todos os jornais de Salvador publicaram a notícia bombástica. O arcebispo mandava votar no Jânio e deixava-se fotografar a seu lado, o que nunca havia feito com político algum.

Silvestre chamou o garçom e pediu a conta. Lúcia acendeu outro cigarro e, quase sem querer, jogou fumaça na cara do deputado. Rafael ia fazer um comentário, mas foi imobilizado por um olhar do avô. Poucas amenidades depois, levantaram-se da mesa. Depois de despedir-se, Jota Camargo desceu as escadas para o saguão do hotel pouco contente de si. Puta que os pariu. Acho que exagerei na dose. O Jânio é genial demais até para a compreensão dessa burguesia. Azar o deles. E essa coroa tá querendo é dormir com o Silvestre. Vamos pegar nosso auto bem bonitinho e terminar a noite na Mônica. Não consigo tirar da cabeça as pernas da Marcela.

Quatro horas da manhã. No galpão da Exposição o silêncio é completo. Alguns tratadores dormem sobre os fardos de alfafa, ao lado dos animais. Cheiro de palha e esterco fresco. Raras luzes amareladas. No canto mais retirado, dois homens tomam mate e conversam baixinho.

– O senhor é sempre o primeiro a acordá, seu Armando.
– Gosto dessa prosa com o senhor. Deve sê duro ficá toda noite em claro. Sem conversá com ninguém.
– A gente se acostuma. Mas sempre tô de olho na exposição. É quando tem movimento mais cedo.
– Eu quero lavá os cavalo bem no clareá do dia. Despois é aquela montoeira de gente nas ducha que parece fila de cinema.

A bomba ronca no fundo da cuia. Um som de sirene corta o silêncio distante. O vigia pega a chaleira de ferro e enche lentamente outro mate.

– Por falá em cinema, eu acho que o senhor não se divertir nada na exposição. Passa o dia na volta desses bichos e vai dormi com as galinha.

Armando sorri com bons dentes.

– Com as galinha não, com os toro. E pra passiá, já basta o meu guri, o José. Acho até que anda retoçando as china da Botafogo. Imagine, seu Calixto, que ele me voltô esta noite passado da uma hora.

Calixto cospe um pauzinho da erva. Cara de índio. Idade na volta de sessenta anos. Boné de lã enterrado até as orelhas. Japona militar desbotada.

– Lá em casa, a veia dá graças a Deus quando o Moacir chega antes dos galo cantá. Mas isso é da idade. Ele gosta das putas, mas não falha no emprego. Até foi promovido, lá na Carris. Tenho medo é do mais moço, o Calixtinho. Passa o dia no futebol.

– O meu José é trabalhador. Lá na estância ele pegô quatro potro pra domá na primavera e dois já tão no serviço. E tem só quinze ano.

– Quinze anos só? Aquele baita mangolão?

– Ele e o Rafael, neto do meu patrão, são da mesma idade. Se criaro igual que ermão.

Calixto pegou a cuia de volta e ajeitou a bomba com cuidado. A chaleira repousava num braseiro de ferro fundido, quase só cheio de cinzas. Encheu o mate para si e ficou pensativo um momento.

– Despois de home, vai sê difícil eles continuá amigo.

– E por que, seu Calixto?

– Porque rico e pobre não pode sê amigo de verdade. Um acaba pegando raiva do outro.

Armando ajeitou a boina na cabeça e encolheu-se dentro do pala de lã.

— Eu e o seu Sivestre também semo amigo desde pequeno. O meu falecido pai foi anos capataz de tropa do falecido pai dele. O seu Silvestre me respeita como peão e eu respeito ele como patrão. Claro que não semo amigo como os amigos de comê na mesa. Mas semo amigo no serviço.

Calixto sorriu sob o bigode grisalho.

— Por quanto o teu patrão vendeu esse touro campeão?

— O Agraciado? Por dois milhão de cruzero. E pelo gosto dele, acho até que não vendia. Ele botô um preço nas nuvem pra corrê os gringo e os gringo cincharam ele. Teve que entregá o bicho.

— Eles já levaram? E o desfile dos campeão? O touro tem obrigação de comparecê.

— Levaram de tarde e devorveram de noite. Parece que foi pra os veterinário deles examiná. Coisa de gringo. Mas o toro já tá pago, o seu Silvestre me disse.

— Dois milhão de cruzero... E o senhor quanto ganha por mês?

— *Bueno*, eu ganho pros gasto. Dois salário, contando o salário da Zuleica. E mais a casa e a boia. O guri mais véio tá na cidade trabalhando de pedreiro. O José tá começando a ganhá dinheiro com os potro. A Clotirde tem treze ano e dá um ajutório na cozinha. Os mais pequeno tão indo no colégio, lá mesmo, pertinho da estância. E temo um nenê.

— Quantos filho são mesmo?

— Só seis. A minha mãe teve doze. As famílias tão diminuindo.

— Eu tenho quatro filho e seis neto. As família acaba sempre aumentando, dum jeito ou doutro. Mas em casa, eu e a veia só tamo sustentando o Calixtinho. Pior é o senhor, que ganha dois salário pra criá seis filho.

— Não senhor. Os filho é problema da gente. Eu ganho o meu salário pra cuidá dos bicho do seu Silvestre e a Zuleica pra cozinhá. E tem gente muito mais mal que nóis, seu Calixto. Um ermão meu, o Amantino, largô a estância pra sê tuco da Estrada de Ferro. E agora vive se queixando.

– *Bueno*, eu também ganho pouco como vigia. Mas acho que o senhor devia ganhá uma comissão do dinheiro do touro. É como o Brizola vive dizendo. O rico come a galinha e o pobre lambe o prato.

Armando fechou a cara.

– Não sabia que o senhor era brizolista. Lá na estância nóis desliguemo o rádio nas sexta-feira pra não ouvi ele.

– Pois eu não perco um programa. Ele é um dos pouco que pensa nos pobre. O único governador que dá terra pros camponês trabaiá.

– Terra roubada dos otro.

– Não é bem assim, seu Armando. E roubo por roubo, toda essa terra do Brasil foi roubada dos índio. O Brizola que disse.

– Pois o senhor fique com o Brizola e eu com o seu Silvestre. O dinhero do *toro* ele percisa pra um mundão de despesa, eu que le diga. É gasolina e ração e peça pro trator e armazém que não acaba mais de gastá. A Zuleica cozinha pra cinco, seis home no galpão e nas casa tem nós sete e mais o seu Silvestre e o Rafael, que come como um esquilador. Imagine o dinheirão pra alimentá essa gente toda. Nóis carneamo um capão e no otro dia não tem mais nada.

– Quer dizê que a dona Zuleica cozinha pra quinze pessoa? Só ela?

– Em dois fogão. No da casa, a Clotirde já quase se defende sozinha.

– E não ganha nada?

– *Bueno*, ainda não. Ela só tem treze ano. Ninguém obriga ela a trabalhá. Mas ela sempre gostô da lida, desde piquinininha. A falecida mulhé do seu Silvestre gostava *demás* da Clotirde. Nos morreu tão moça, a Dona Florinda. Nem gosto de me lembrá. Vai fazê dez ano o mês que vem. E eu ainda me arrepio todo. Tome a cuia, seu Calixto. Desculpe a minha distração.

– Não tem nada. A água já cabô mesmo. Vamo aquecê mais?

– Por mim não percisa.

Calixto apoiou a cuia no suporte de arame e puxou um toco de cigarro detrás da orelha. Acendeu-o soprando na brasa e puxou uma baforada, fazendo bico.

– Essa senhora que morreu, morreu de coisa braba?

– Desastre de avião.

– Eu não entrava num avião nem a pau.

– Nem eu. Não sei como o seu Silvestre ainda se anima. Ele perdeu quase toda a família naquele desastre.

– Quase toda a família? Que barbaridade, seu Armando!

A fisionomia franca do capataz pareceu murchar de repente.

– Morreu a Dona Florinda e mais a filha deles, a Dona Martinha, e o marido dela, o seu Khalil. Só sobraro a Marcelinha e o Rafael pro seu Silvestre criá.

– Que simbronaço!

– De matá um homem fraco do coração... E quem é que ia contá pras criança que o pai e a mãe deles tinha morrido? Sem falá na vó, que era só carinho com eles. Dois bichinho assim bem alegre, com sete e cinco ano... Me descurpe, seu Calixto. Um home véio como eu chorando por uma coisa tão antiga. Mas é que... *Bueno*, eu sô preto, mas eles são quase como meus filho. Numa estância a gente... a gente vive muito junto. E o seu Silvestre nunca quis morá na cidade. Preferiu mandá as criança pro colégio todos os dia de caminhonete. Quando a Marcelinha veio estudá em Porto Alegre, eu tive até que tomá um Melhoral. Passei dias com dor de cabeça pensando nos atropelamento e nos assalto. Hoje ela me viu e veio correndo me dá um beijo. Os jornalista ficou tudo me olhando com cara de bobo.

Calixto fungou e ficou em silêncio. Depois tossiu o pigarro e voltou ao tema anterior.

– Eu entendo que o senhor seja apegado nessa família, mas se todo mundo for assim, empregado nunca vai melhorá na vida. E tem patrão que só qué tirá o sangue dos empregado. A maioria deles.

– Não é o caso do seu Silvestre. Ele nos aperta no serviço, mas trabalha junto com a gente. E não gosta de botá peão pra rua. A não sê os vagabundo... O Antenor, por exemplo, era um malvício que sempre tava constipado. Era só esfriá e ele tossia e não queria pegá no serviço. Nóis botemo ele pra rua e ele botô o seu Silvestre na justiça. Eu queria i na cidade quebrá meu relho na testa daquele fiadaputa, mas o seu Silvestre não deixô. Mas o Antenor não ganhô nada pra ele. Tirô um dinheirão do seu Silvestre, mas diz que o adevogado ficô com quase tudo. E agora ele não consegue mais emprego de peão. Os fazendero conta uns pros otro no clube e ele tá liquidado.

Calixto sacudiu a cabeça.

– Acho que o senhor não devia brigá com um colega de trabalho pra defendê o patrão.

– Mas que colega de trabalho, seu Calixto? Trabalhá é uma coisa que o Antenor nunca fez na vida. Os colega dele são os vagabundo, eu que não.

– Tá bem, seu Armando. Acho que na estância do seu patrão, fora o pagamento miserável, os empregado são tratado bem. Mas se o home morrê?

– Deus o livre, seu Calixto. Vire essa boca pra lá.

– Morrê nóis bamo morrê tudo.

– *Bueno*, se ele morrê, eu sigo trabalhando com o Rafael.

– E quem é que le garante que Rafael vai saí bondoso como o seu Silvestre?

Armando sorriu satisfeito.

– Eu le garanto. Boto as duas mão no fogo por aquele guri.

– Deus le ouça. Tomara que seja assim, para o seu bem.

O céu começou a empalidecer. Pela janela do quarto, Silvestre espiava o tempo. Hoje não vamos escapar da chuva. Mas agora só me falta o julgamento dos cavalos. Acho que depois de amanhã vamos poder voltar para Alegrete, graças a Deus. E dizer que tem gente com horror do campo.

O Gastão até comprou um avião para sair voando da estância dele. Um absurdo. Deixam todo o capital na mão dos outros e vão jogar *pif* no clube. E tem gente que perde fortunas naquela porcaria. Preciso cuidar para o Rafael não se meter em jogatina. Começam com o truco no galpão e vão pegando gosto pelo baralho. Olha como dorme o Rafael. Melhor chamar ele de novo.

– Acorda, Rafael. Já estou verde de tomar mate.
– Hein? O que foi, vovô?
– Faz duas horas que estou acordado. Não vou te esperar mais.

Rafael empurrou as cobertas e sentou-se na beira da cama, bocejando muito. Procurou os chinelos e desistiu, saindo de pés descalços no carpete macio. No caminho do banheiro, seu olhar distraído pousou no jornal aberto sobre a cama do avô. A manchete estava em letras grandes, bem no alto da página: TOURO CAMPEÃO VENDIDO POR PREÇO RECORD: DOIS MILHÕES DE CRUZEIROS

– Olha só aqui, vovô, como saiu bem o Agraciado na fotografia. Pena que cortaram o Armando. Só aparece um braço.
– A notícia está boa. Só tem cinco erros.
– Vou ler no banheiro.
– Não mesmo! Passa para cá esse jornal, que já são quase sete horas.

Rafael correu para o banheiro com o jornal na mão e trancou a porta. No mesmo instante, o telefone tocou. Silvestre sentou-se na poltrona e atendeu.

– Alô! Sim, sou eu mesmo. Doutor Fernando Mello? Não conheço. Claro, pode passar assim mesmo... Alô! Sim. Silvestre Bandeira. Garanto que sou eu mesmo. Como? É claro que me lembro. Como está o Mister Baxter? Sim, ainda deve estar voando, é claro... Oito horas não posso. Tenho dois cavalos que entram em pista às nove horas. É tão urgente assim? Não pode mesmo dizer nada pelo telefone? É claro, eu compreendo. Mas acho melhor o senhor desembuchar tudo pelo telefone. COMO? É claro que eu estou nervoso!

Advogado não garanto se posso levar... FALA MAIS DEVA-GAR! Sim, sei onde é, esquina da rua Uruguai. Mas só posso lhe dar meia hora, nem um minuto mais! Está bem, está bem! POIS SE EU ESTOU LHE DIZENDO QUE ESTÁ BEM! Está desculpado. É claro. Sei que o senhor é apenas um funcionário. É melhor desligar agora. É claro. Até logo.

Silvestre esperou o clique do aparelho para depois repousá-lo suavemente em seu lugar. Puta que o pariu! O que será que houve de tão grave? É melhor localizar logo o Camargo. Ele precisa me conseguir um advogado.

Rafael abriu a porta do banheiro e topou seu sorriso com o rosto carrancudo do avô.

– Desculpe, vovô. Eu só queria ler a notícia duma vez...
– Não foi nada. Estou brabo por causa desse telefonema.
– Telefonema de quem?

Silvestre desamarrou o cinto do *robe de chambre*. Sem se dar conta, amarrou-o novamente.

– Dos gringos que compraram o Agraciado. Ou melhor, do lacaio dos gringos, um tal de Mello. Quer falar comigo agora às oito horas. Quer que eu leve um advogado.

– Um advogado a esta hora? Que será que aconteceu?

Silvestre desamarrou definitivamente o roupão e começou a vestir-se.

– Pega a lista telefônica e procura o número do Camargo. Nem de óculos eu consigo ler essas letras pequenas.

– Logo daquela besta?
– Danilo J. Camargo. Mora na rua Marquês do Herval, no bairro Moinhos de Vento.
– Esse jota quer dizer o que, vovô?
– José.
– Só? Tudo nesse cara é chocho.
– Procura logo o número e para de resmungar.

Jota Camargo chegou no hotel às oito e quinze. Bocejando muito, largou o Simca Chambord em fila dupla e entrou no saguão movimentado. Um táxi ficou buzinando, bloqueado na rua estreita. O deputado nem se dignou a olhar para trás. Em passos lentos, dirigiu-se a Silvestre, que o esperava de pé, junto à recepção. O fazendeiro mal respondeu ao seu desejo de bom dia.

– Esses gringos devem estar querendo desmanchar o negócio do touro. Só não entendo por que tanto mistério. Trouxeste o advogado?

Camargo abriu a mão descarnada sobre o peito.

– O advogado está aqui.

Silvestre tentou sorrir.

– É claro. Com o nervosismo, eu até esqueci do teu curso noturno. Vamos logo, que eu quero acabar com esse assunto. O tal de Mello é um verdadeiro sabonete. Não consegui arrancar nada dele pelo telefone. E esta agora? Onde se meteu o Rafael?

– Está ali bem na nossa frente. Lendo uma revista.

– Então vamos embora.

Camargo pegou no braço de Silvestre.

– Não será melhor deixar o guri aqui esperando? Os gringos são tão chatos com negócios!

O fazendeiro concordou com um aceno de cabeça e dirigiu-se ao neto. O menino levantou o nariz da revista.

– Claro, vovô. Eu fico aqui esperando. Mas não esqueça que o julgamento dos cavalos é às nove horas.

Uma hora depois. A chuva cai mansa e fria. Rafael espera nervoso na porta do hotel. Sua indumentária gaúcha chama a atenção dos passantes. Vendedores de bilhetes de loteria não desistem de abordá-lo. Um engraxate bota-lhe a língua do outro lado da rua. Rafael segura-se para não correr atrás dele.

– Parece que ninguém conhece bombacha e bota nesta cidade...

O porteiro fecha o guarda-chuva gotejante e sorri.

– Quando eu cheguei de Jaguarão a primeira vez, levei uma baita surra na rodoviária. Me chamaram de boi de bota e eram uns quatro ou cinco.

– Que barbaridade!

– Depois disso eu comprei uma calça de brim coringa e desisti das pilcha.

– Pois eu acho um absurdo a gente não poder ser gaúcho na capital do Rio Grande. Olha lá! Aquele guri que me chamou de Teixeirinha tá voltando de novo.

Por detrás do menino maltrapilho, Rafael percebeu Silvestre e Camargo caminhando para o hotel. O deputado gesticulava muito com uma mão. Com a outra, protegia a cabeça com um jornal aberto. O vovô está com o chapéu puxado sobre a testa. Mau sinal. Outra hora eu cago esse guri de pau.

No caminho para a exposição, Rafael ficou escutando a conversa dos dois homens. Sabia que o assunto era grave, mas não se animava a perguntar nada, para não irritar mais o avô. Parados numa sinaleira, resolveu aproveitar o silêncio repentino.

– Desculpe perguntar, vovô, mas houve algum problema com o Agraciado?

Silvestre respondeu em voz alta e clara.

– O Agraciado é estéril. Não serve para reprodução.

– Estéril? E como é que eles ficaram sabendo tão rápido?

O carro deu um arranco para a frente. No meio da avenida Getúlio Vargas perfilavam-se as palmeiras imperiais. Rafael olhava apalermado para os ombros largos do avô. Para os cabelos grisalhos saindo por debaixo do chapéu. Cheiro de perfume Mitsuko. Voz um pouco mais alta que a normal.

– Eles levaram o touro para examinar de tarde. O exame de sêmen deu péssimo. O veterinário dos gringos diagnosticou azoospermia. Diz que o Agraciado tem hipoplasia das glândulas seminais.

– E que diabo é isso?

– Um diabo que vai nos custar dois milhões de cruzeiros.

Jota Camargo sacudiu a cabeça estreita.

– Se tu quiseres devolver, Silvestre. Por mim, a gente discutia na justiça.

– Assunto encerrado, Camargo. Não vou ficar com um dinheiro que não é mais meu.

Num gesto brusco, o deputado desviou o carro de um bonde e dobrou a primeira esquina. Rafael olhou a placa e sentiu um frio na barriga: rua Botafogo. É aqui que o Zé Matungo arrumou uma china. Será que ele me leva hoje de tarde? Jota Camargo apagou o motor e virou o rosto anguloso para Silvestre.

— Já te disse que o dinheiro é teu dentro da lei. O touro passou no exame de admissão. Se alguém tem culpa, é a Secretaria da Agricultura.

— Esse exame de admissão do Menino Deus é só *pro forma*. Ninguém faz exame de sêmen nem toque retal. Há anos que eu reclamo disso na Farsul. Tem gente que acha que é bobagem. Mas de hoje em diante a coisa vai ser diferente. Touro meu não sai mais da estância sem prova de fecundidade. Vou matar o Agraciado, devolver o dinheiro, e estamos conversados.

Rafael deu um pulo no banco de trás. A chuva batia forte sobre os vidros embaçados do carro.

— Matar o Agraciado? Não é possível, vovô.

Silvestre encolheu os ombros.

— É só chegar na estância e mando sangrar ele.

Rafael baixou a cabeça e enxergou a cena. O touro mansinho parado dentro da mangueira. O peão se chegando com a faca carneadeira. Armando virando as costas em direção do galpão. Quem vai matar é o Anarolino. Diz que degolou uns quantos na Revolução de 23. Velho desgraçado. Dá só uma estocada e o sangue jorra aos borbotões. Rafael fecha os olhos, mas segue vendo. O touro berra desesperado, sem entender nada. Cambaleia, de olhos arregalados, e cai de joelhos. Não é possível. Isso é uma barbaridade. Rafael sente as lágrimas correndo pelo nariz.

— Por favor, vovô... Por favor.

Silvestre sacudiu a cabeça, irredutível. Jota Camargo abriu uma fresta no vidro e acendeu um cigarro. Não adianta discutir com essa mula. E num processo de dois milhões de cruzeiros, eu ia ganhar no mínimo uns duzentos mil. Fora a publicidade de graça. Mas nem tudo está perdido. Mas é claro! Não sei como não tinha pensado nisso antes.

– Silvestre! Tive uma ideia genial!

– Duvido. A chuva apertou de novo. Não dá para tu apagares esse cigarro?

Camargo atirou o cigarro pela janela e fechou bem o vidro.

– Será que tu podes me escutar um pouco? Mais a sério, eu digo.

– Desculpa, Camargo. Podes falar.

– Como está a situação dos sem-terra na tua zona?

Silvestre suspirou.

– Mal como em toda parte. O Brizola bota fogo nesses infelizes e só eles que vão sair perdendo. A corda sempre rebenta na parte mais fraca.

– E que tal se rebentasse na mão do Brizola?

– Como assim?

– Muito fácil. Tu devolves o dinheiro do touro e tudo fica em segredo, como os gringos combinaram. Os jornais deram grande publicidade a essa venda. Se o público souber que o teu touro é impotente...

– Impotente não. Ele cobre as vacas sem problema. Só não pode reproduzir.

– Eu entendo. Mas o povão vai pensar que ele é brocha e a exposição é que fica desmoralizada. Até já imagino a charge do SamPaulo na *Folha da Tarde*.

Silvestre tirou o chapéu e passou o lenço pela testa.

– Não é a primeira vez que um animal estéril ganha prêmio em exposição. Aqui e em outros países. O problema é da consanguinidade. Os animais puros são todos parentes uns dos outros.

– Para mim não adianta explicar. O que eu digo é que os trabalhistas poderiam usar o fato contra os fazendeiros. Mas nós vamos reverter a situação. Eu conheço um tratador do Jockey Club que pode nos ajudar. Ele vem conosco esta noite e envenena o touro.

— O quê? Que loucura é essa?

— Deixa eu explicar. O touro aparece morto amanhã de manhã e nós botamos a culpa nos sem-terra, na peonada a soldo do Brizola.

Rafael, encolhido no banco de trás, falou com voz sumida.

— Não deixe, vovô. Eles vão botar a culpa no Armando. Vão prender ele.

Silvestre encheu as bochechas de ar e deixou-o sair com ruído.

— O Rafael tem razão. Vamos parar com essa conversa besta e ir para a exposição.

— Mas Silvestre... Será que esse peão vale tanto assim? E com dinheiro a gente tira ele logo da cadeia.

O fazendeiro olhou fundo nos olhos do deputado.

— Tu és uma cópia piorada do Jânio Quadros... Mas não vamos discutir. Faz o favor de me mandar cobrar os teus honorários de advogado.

— Não é nada, tu sabes.

— Pois então, muito obrigado.

Saíram os três para a calçada. A chuva parara de repente. Um simulacro de arco-íris começava a formar-se do lado do rio. Silvestre passou um braço pelos ombros do neto.

— Não precisas ficar tão triste, Rafael. Perdemos o Agraciado, mas ainda temos o Espada. Está na hora de mudar o sangue na Cabanha Ibirapuitã. Rei morto, rei posto! O teu Espada vai ser o nosso pai de cabanha.

— O senhor... o senhor acha mesmo, vovô?

— Tenho certeza. Vamos levantar o nosso Hereford mais alto do que o Charolês. Se for preciso, pregamos um cupim de zebu em cima deles. Essa gente não nos conhece, Rafael Pinto Bandeira Khalil.

— Que bom, vovô! Bem diz o Armando que o senhor é igual a pão de ló.

— A pão de ló, eu?

— Quanto mais bate, mais cresce.

Silvestre caiu na risada e seguiu abraçado com o neto em direção ao portão principal. As bandeiras agitavam-se com o vento forte. Jota Camargo fechou o carro e saiu trotando atrás do fazendeiro.

Fronteira sudoeste do Brasil
Outono de 1964

— Soldado 342!
— Pronto, sargento!
— Conta aqui para o tenente Fraga como é que se planta bananeira.

Willy sorriu meio encabulado e ainda em posição de sentido.

— É uma história boba. O seu tenente não vai achar graça.
— Pois eu achei graça e não sou nenhum bobo.
— Não foi isso que eu disse, sargento Acácio, por favor.
— Esse gringo parece um santinho, mas tem outro por dentro. Conta logo o causo, que o tenente tem pressa.

Encabulado, vermelho e suando, Willy começou a contar a história. Seu sotaque carregado nos erres fazia morrer de rir o sargento. O tenente Fraga, recém-saído da Academia, permanecia em atitude digna.

— ...não sabiam plantar as plantas do Brasil. Além disso, faltava tudo que era ferramenta que o Rei prometeu e não deu. O meu bisavô, que veio da Alemanha, saiu pela vizinhança para ver se aprendia alguma coisa. Aí ele encontrou um mulato que cuidava duma enorme plantação de bananeiras. Isso lá na minha terra, em Três Forquilhas, perto do mar. O tal de mulato olhou bem sério para ele e disse: "Tu qué plantá bananeira, alemão? Eu te ensino. Primeiro tu capina a terra como se tu fosse plantá milho. Aí, tu abre um buraco como se fosse plantá feijão. Bota uma banana madura dentro do buraco e senta em cima. É só esperá que ela cresce."

O sargento grisalho ria com vontade. O tenente, que ainda era aspirante na semana passada, apenas sorriu. Willy mantinha-se em posição de sentido. Às suas costas, um corredor comprido dividia as baias dos cavalos. Cheiro forte de estrume e urina. O sol projetava manchas de luz pelas janelas.

Dos cavalos só se viam as cabeças de crinas raspadas. Alguns pateavam o chão com os cascos ferrados. Outros relinchavam, despertando outros relinchos do fundo do pavilhão.

O tenente falou alto com o soldado da faxina. A voz estridente. O sotaque carioca.

– Por que ainda não começaram o forrageamento? Os animais estão com fome; qualquer idiota pode ver.

Willy ergueu-se mais um centímetro na posição de sentido.

– Tão começando a dá ração neste instante, seu tenente. Com a sua licença, eu vou lá ajudar com o meu carrinho.

Ainda com cara de riso, o sargento Acácio apontou para o local onde um grupo de soldados abria fardos de alfafa e derramava milho nos carros de mão.

– Tu sabe se o Zé Matungo tá de serviço? O seu tenente quer falá com ele.

Willy enrugou o nariz sardento para espantar uma mosca.

– Ele tá dando uma ajuda pro cabo ferrador. Se o seu tenente quiser ir lá, eu vou varrendo na frente.

O sargento sufocou outro acesso de riso.

– Não há necessidade do seu tenente sujar as botas. Vai tu lá e nos traz o Zé Matungo.

– É pra já, senhor.

Willy bateu continência e girou nos calcanhares. O cabelo louro raspado a zero fazia as orelhas maiores. As roupas de serviço, folgadas e desbotadas, davam-lhe um jeito de espantalho. O sargento seguiu os tamancos batendo no piso lajeado.

– Esse alemãozinho com cara de santo já teve duas vezes no xadrez. A primeira por causa dum retrato das irmãs dele. Um soldado do esquadrão de petrechos roubou o retrato, e o 342 virou um balde de estrume na cama dele.

O tenente olhou para as suas botas lustradas.

– Estrume é o que não falta por aqui. Quem é o comandante do 3º Esquadrão?

– O capitão Peçanha.

– Háa... Vou falar com ele mais tarde sobre esta sujeira nas baias.

O sargento calou-se por um momento. Seu rosto redondo encolheu-se nas rugas.

– Eu... Eu, se fosse o senhor, não dizia nada pro capitão Peçanha.

Uma onda de calor subiu pelas orelhas do oficial. Seu rosto jovem e bem barbeado fechou-se numa carranca.

– A limpeza é a regra primordial num regimento de cavalaria. E o comandante do esquadrão é o responsável por tudo que se passa em sua área de serviço. Não vejo por que eu esconderia do capitão Peçanha o desleixo dos seus subordinados.

Sem se impressionar, Acácio espantou uma mosca da testa.

– No causo da cenoura, eu também disse pro tenente Silva não falar com o capitão. Mas ele foi lá e falou.

A ponto de explodir, o tenente marcou passo no chão imundo.

– Que cenoura, sargento? Isto aqui é um quartel ou uma feira livre?

O sargento baixou a cabeça.

– Desculpe, seu tenente. Eu só falei pro senhor não falar com o capitão porque... *bueno*, pra... não tem importância. É como diz a minha sogra. Em boca fechada não entra mosca.

Desarmado pela atitude humilde do sargento, Fraga pensou no capitão Peçanha com uma ponta de temor. Só vira o homem duas vezes no cassino dos oficiais. Sujeito calado e feio como o Jack Palance. Melhor saber mais sobre ele antes de me arriscar. Esses sargentos velhos não são bobos.

– Está desculpado, sargento. E pode me contar o caso do repolho.

– Cenoura, tenente.

– É. Pode me contar. Perdi a calma porque tenho horror de sujeira. Foi só.

Toda a alegria voltou ao rosto do sargento.

– E o senhor não conhece as pocilgas, seu tenente. Eu trabalhei uns quantos anos na granja Masgrau. O fedor de porco pega no fardamento, que não tem sabão que tire. A minha sogra dizia que...

– O caso da cenoura, sargento.

– Pois é isso mesmo. O causo da cenoura aconteceu também com esse alemãozinho, o 342. Quando ele saiu do xadrez por causa da história do retrato, o tenente Silva pegou ele dando cenoura pro cavalo do capitão Peçanha. Um balde cheio até aqui, o senhor imagine.

– E o tenente Silva mandou prender ele?

– Na hora. Mandou recolher pro xadrez e foi contar pro capitão. Imagine, dá cenoura pra cavalo...

– Mal não faz. Até parece que melhora o pelo. O erro do soldado foi roubar as cenouras.

– Pois *bueno*, aí que a coisa não tava bem contada. Parece que foi a mulher do capitão Peçanha que deu as cenouras pro 342.

– E daí?

– Daí que o tenente Silva deu com os burro n'água, com todo o respeito que ele merece. O capitão Peçanha ficou furioso e disse pro tenente ir cuidar da intendência, que lá é que tinha ladrão. Uma barbaridade. Quem viu até nem gosta de contá o arranca-rabo que deu.

O tenente ficou pensativo um momento.

– E o soldado?

– O capitão mandou soltar ele na hora do xadrez.

Fraga ia fazer um comentário quando os dois soldados surgiram no corredor. O alemão sardento parecia ainda menor perto do negro alto e corpulento. Ambos se enquadraram na frente dos superiores.

– Você que é o Zé Matungo?

– Soldado 385, José Maria dos Santos, senhor.

O tenente levantou a voz.

– Você é ou não é o Zé Matungo, praça?

– Sim senhor! É como todo mundo me chama, senhor.

— Assim é melhor... Pode falar com ele, sargento.

Acácio falou com voz suave.

— *Bueno*, soldado, é que o tenente aqui quer entrar na competição de salto agora às dez horas. Quer saltar no 45.

— Naquele aporreado? Vai sê um fiasco, o senhor me descurpe. Aquele matungo corcoveia mais de hora sem cansá.

— E depois fica manso e salta qualquer obstáculo, não é verdade?

Zé Matungo olhou para o tenente e sorriu. Os dentes brancos sob os lábios grossos.

— Já entendi tudo, seu tenente. Eu gineteio o bicho até se acalmá e despois o senhor monta nele e ganha a competição. Só tem uma coisa que eu queria le perguntá.

Fraga estimulou-o a prosseguir. A perspectiva de ganhar o concurso iluminou sua mente. Até ali, só seguira o sargento porque não tinha mesmo um cavalo bom para competir. E montar a frio no 45 era uma loucura. O cavalo tinha fama de diabo no regimento. Mas era lindo. Baio de crinas negras, uma pintura. Imagine se ganho a competição? Preciso telefonar para Marcela. Sei que o avô dela vem ver os saltos. Eu não queria que ela viesse junto. Mas agora eu quero.

— Uma coisa precisa ficar bem clara, soldado. Eu não estou obrigando ninguém a montar no cavalo. Não é sua obrigação, está entendido?

— Tá entendido, seu tenente. Mas faz tempo que eu tava de olho naquele matungo. Uma judiaria um bicho lindo daqueles aí sem serventia. Pode ficá descansado que eu acarmo ele pro senhor. Mas com a sua licença, eu tinha só uma condição.

Surpreso, Willy olhou de esguelha para o companheiro. O tenente bateu forte com o chicote na bota.

— Não estou acostumado com condições...

O sargento interferiu, apaziguador.

— Tu tá querendo uma licença, Zé Matungo? Se tu amansá o 45, eu e o tenente podemos te consegui três dias de dispensa.

— Pra mim e pros dois amadrinhador?

73

Fraga enrugou atesta.

– Quem são esses, agora?

– São dois soldados pra galopá do meu lado e não deixá o matungo se atirá numa cerca ou caí num buraco. O Willy pode sê um e Rafael o outro.

A cara feia do capitão Peçanha passou pela mente do oficial.

– Acho difícil dispensar três soldados.

Mais uma vez o sargento Acácio interferiu.

– Deixe pra mim, seu tenente, eu conheço o caminho da roça. E, com a sua licença, seria bom a gente se apressar. Eu posso ir buscar o 45 com o Zé Matungo e o Willy vai chamar o outro soldado. Nos encontramos no campo de *cross* daqui a meia hora. Está bem assim?

Zé Matungo e Willy continuavam em posição de sentido, mas com o corpo mole. O domador tossiu duas vezes. O sargento entendeu o apelo.

– O que foi agora, Zé Matungo? Não pede mais nada, que já é abuso.

– Eu só queria sabê se o tenente vai competi com o sargento Bóris.

– Claro que não. O concurso dos sargentos é separado dos oficiais.

Fraga olhou feio para o soldado.

– E por que eu não poderia competir com o sargento Bóris? O que tem ele de especial?

– *Bueno*, descurpe, seu tenente, mas é que fui eu que domei o cavalo do sargento Bóris, o Paraná. Peguemo ele bruto do campo e agora ele tá mansinho e saltando mais que um sapo. Eu ia ficá triste se o 45 ganhasse dele. Mas se não vai concorrê junto...

O sargento consultou o relógio de pulso.

– Acho melhor a gente se apressar. Com a sua licença, seu tenente.

– Estão dispensados. Eu tenho um telefonema urgente para dar. Encontro com vocês no lugar combinado.

Oito horas da manhã. O dia começa a esquentar. Nenhum sereno no pasto. Um bando de quero-queros levanta voo e grita em atitude agressiva. Por cima da cabeça do cavalo, a planície se estende sem nenhuma árvore. O tenente abre a porteira pintada de branco e prossegue a passo. Já está no local de treinamento equestre do regimento. Deserto naquela hora, em que todos se preparam para o concurso hípico. Oficiais e sargentos de outras unidades foram convidados. Há rivalidade antiga do 6º de Cavalaria com o Grupo de Artilharia, o quartel vizinho. Gilson Fraga cutuca o zaino com as esporas curtas. Vai ter gente que não acaba nessa competição. E eu não consegui falar com a Marcela. Que pena! Se eu ganho esse concurso na frente da garota, ela não me escapa. Vou lá e entrego a taça para ela na frente de todo mundo. Até do general! A Marcela não sai da minha cabeça. E dizem que o avô dela é podre de rico. Melhor pra mim. Não vou ser o primeiro militar pelado que casa com mulher rica em Alegrete. E essa garota valia a pena até se fosse pobre. Não é culpa minha se ela é rica.

Do lado esquerdo do campo de *cross-country* passava uma estrada municipal. Além da estrada, o campo de polo bem cuidado e os eucaliptos da granja Masgrau. Para a direita do cavalo, a planície descia suave até a cerca da linha férrea. Fraga encheu os pulmões de ar. Hoje é meu dia, tenho certeza. Ainda bem que eles já chegaram. Que cavalo lindo esse baio! Será que o negrão vai montar em pelo? Não vejo nenhuma sela.

O sargento Acácio sorriu para o superior.

– Tudo bem, tenente?

– Tudo OK. Vamos começar?

– Só um momentinho que o Rafael tá chegando. Ele foi na estância buscar o avô, que é cunhado do general. Olha lá o auto dele!

Fraga desviou os olhos do sargento. Numa nuvem de poeira, o Volkswagen azul estacionava junto à cerca. O motorista fardado e uma moça de amarelo saíram do carro e passaram entre os fios de arame. O tenente arregalou os olhos.

– Marcela!? Como você me descobriu aqui?

A moça olhou firme nos olhos castanhos do militar. O rosto moreno sem nenhuma pintura. Os cabelos cacheados caídos sobre os ombros. Vestia eslaques e botas de montaria. Antes de apear do cavalo, Fraga percebeu parte dos seios pela blusa decotada. Respirou o perfume já seu conhecido. *Avant la fête,* discreto e pessoal. Marcela estendeu-lhe a mão para evitar intimidades,

– Tudo bem, Gilson? Vim voando quando o meu irmão me contou. Deixamos o vovô no quartel agora mesmo. Que cavalo lindo esse baio! Nem parece brabo... Tudo bem, Zé Matungo? A tua mãe te mandou umas roupas lavadas. Bom dia, sargento Acácio, faz tempo que não via o senhor. E tu deves ser o Willy, não é? Adoro a história das cenouras.

Willy apertou a mão de Marcela e sentiu uma emoção forte. Para esconder os olhos úmidos, voltou-se e fingiu ajustar a cincha da sela. Mas ninguém lhe prestava atenção. O tenente e o sargento seguiam todos os movimentos da moça, sob a expressão irônica de Rafael. O rapaz aproximou-se do cavalo baio.

– Diz que ele corcoveia como o diabo, hein, Zé?

– *Bamo* sabê agorinha mesmo. O Alemão te disse das licença?

– Três dias, até parece mentira. Acho que vou a Rivera jogar no cassino.

– E eu vô ajudá uns dia na estância. O pai anda muito abombado do reumatismo.

– Não é má ideia dá uma campereada. E vamos levar o Willy. O gringo não conhece ninguém na cidade.

O sargento Acácio despertou do encanto.

– Virgem Maria, já são quinze pras nove, seu tenente!

– Vamos começar. Você espera aqui comigo junto da cerca, Marcela. Diz que esse 45 até morde quando está brabo. Vamos ficar mais longe.

A moça olhou para o cavalo zaino do namorado.

— Será que eu podia olhar a doma montada nele? Posso, Gilson?

— Claro, Marcela. Ele é bem mansinho.

Zé Matungo tirou os pés grandes de dentro dos coturnos e puxou as meias. Levantou-se e passou as rédeas por cima da cabeça do baio. Acácio segurou o freio abaixo da barbela. O cavalo bufou, dilatando as narinas. Willy e Rafael já estavam montados. De um só pulo, o domador saltou no lombo do cavalo. O sargento largou o freio e saiu da frente. No mesmo instante, o animal empinou-se e arrancou corcoveando. Com a cabeça baixa, pulava alto com as quatro patas. Pulava e berrava, de boca aberta, os olhos injetados de sangue.

— Te agarra, Zé Matungo!

O grito de Rafael misturou-se aos gritos dos quero-queros. O rapaz mantinha-se próximo do aporreado, pronto a ajudar o amigo. Do outro lado, Willy fazia o mesmo, os olhos azuis meio arregalados. Marcela saiu a galope atrás dos três, incentivando o zaino com sons que pareciam beijos. Desconsolado, Fraga aproximou-se do sargento.

— Essa garota é louca de pedra!

— Que esposa para um oficial de cavalaria, hein, seu tenente? E o avô dela tem mais de uma légua de campo. Só de gado parece que tem quatro mil reses. É como diz a minha sogra...

Lá longe o combate prosseguia. O cavalo baio já estava coberto de suor. Zé Matungo seguia firme, as duas mãos agarradas nas crinas negras. O corpo atirado para trás. As pernas compridas coladas nos flancos do animal.

— Aguenta firme, que ele tá se entregando!

Mas não estava. Apenas ia mudar de tática. Um novo arranco para frente e o animal saiu numa corrida louca. Rafael viu logo o perigo à frente.

— Cuidado com o açude, Zé! Vamos indo direto à taipa.

Marcela corria ao lado de Willy, os cabelos soltos e a expressão feliz. O rapaz olhava para ela, rezando mentalmente, aos arrancos, uma Ave-Maria. O baio seguia cego em direção ao açude. O maior perigo era a taipa de pedras avermelhadas. Era preciso desviá-lo de qualquer jeito. Zé Matungo puxava as rédeas com toda a sua força. Rafael gritou para Willy a plenos pulmões.

– Aperta daí que o teu cavalo é mais forte! Aperta o baio! Encostela nele!

Um bando de garças brancas alçou voo das margens do açude. Willy atirou o rosilho contra o baio, obrigando-o a desviar-se para a esquerda. Zé Matungo gritava com o cavalo. Pedaços de terra e grama voavam pelo ar. A taipa do açude crescia diante dos cavaleiros. Do outro lado das águas mansas, surgiu um trem de carga jogando rolos de fumaça para o céu. O maquinista olhou para os cavalos e acionou o apito, entusiasmado. Assustado com o trem e o apito, o baio parou de chofre. Zé Matungo conseguiu equilibrar-se a custo, quase no pescoço do animal. Saltou ao chão e ficou uns momentos arquejante. Com modéstia, mal ouviu os elogios de Marcela e dos companheiros.

– *Bamo* dá um banho nele no açude e entregá pro tenente. Se ele saltá como corcoveia, ninguém ganha mesmo do 45.

Nove e meia da manhã. Na sala do comando, o general deu um jeito de ficar a sós com Silvestre. O fazendeiro repousou a xícara de cafezinho no pires e acomodou-se na poltrona. Vestia um terno claro com as calças bem vincadas. A gravata era vermelha, como sempre. O militar olhou-o por um momento, levantou-se e foi chavear a porta.

– Tá tão feia a coisa assim, Sarmento?
– Muito feia, cunhado.

E falando quase num murmúrio:

– Acho que a revolução não vai passar de amanhã.

O general sentou-se no sofá e acendeu um cigarro. Silvestre ficou pensativo. Olhando sem ver para a parede coberta de retratos de antigos comandantes. Do lado direito, as janelas abertas traziam o ruído de pneus sobre o cascalho.

Relinchos distantes de cavalos. O fazendeiro olhou para o militar com preocupação. O gosto do café lhe deu uma vontade antiga de fumar.

— Quer um cigarro, Silvestre? É americano. Bem fraquinho.

— Faz anos que deixei de fumar. Desde que morreu a Florinda. Ela sempre me pedia para deixar...

O general ensombreceu mais o rosto.

— Morreu cedo a minha irmãzinha.

Silvestre retomou o assunto. Com a voz bem baixa.

— Obrigado por me dizer... da revolução. Posso ser útil em alguma coisa?

— Por enquanto ainda não. Tudo é muito confidencial. Nem o coronel Marques está sabendo.

— Ele é de confiança?

— Na legalidade ficou com a posse do João Goulart, mas depois pegou raiva do Brizola, como todos nós. Não se aguenta mais esta bagunça. Tu viste a fotografia no jornal? Marinheiros carregando um almirante nas costas, como se fosse um jogador de futebol... Sem hierarquia, as Forças Armadas estão afundando. Tem comunista infiltrado até na Igreja.

— Será que o Jango é mesmo comunista? Um fazendeiro rico como ele?

— Um presidente não pode se misturar com a gentalha. O João Goulart assinou o atestado de óbito com esse comício da Central do Brasil. Agora os comunistas estão dando as cartas em Brasília. Mas vão pagar caro.

Silvestre espantou uma mosca do rosto.

— Para mim o maior culpado é o Jânio Quadros. Eleito por nós, ele saiu namorando a esquerda e até condecorou o Che Guevara. Depois renunciou e nos deixou aquela crise da posse do Jango.

— E nos faltou união para impedir aquela posse. Mas agora os comunistas nos uniram. E os americanos vão aguentar a mão.

Silvestre ficou em silêncio. O general esqueceu o cigarro no cinzeiro e acendeu outro. O bigode branco era manchado de nicotina. A pele das bochechas caía-lhe um pouco nos cantos da boca. Mas ainda era atlético para a idade. Usava botas pretas e culotes verde-oliva. A camiseta branca desenhava o torso enxuto de gorduras. O cabelo grisalho, cortado à escovinha, nascia bem próximo das sobrancelhas.

– Era isso que eu tinha pra te dizer. Mais não posso.

– A coisa não tem mesmo volta?

– Não tem. Resolvi te prevenir porque os sem-terra podem reagir e atacar as fazendas. E tem esses grupos dos onze. Os primeiros que eles vão matar são os fazendeiros.

Silvestre sorriu.

– Para isso basta ir no clube depois do almoço.

– Tu não estás levando a coisa a sério. Temos informações seguras da entrada de armas pelo Uruguai. Todo o teu pessoal da estância é de confiança?

– O capataz é o Armando, que tu conheces bem. Da peonada todos são antigos. Tem um tratorista novo. Mas parece boa pessoa.

– Bota pra rua hoje mesmo. Agora é melhor a gente ir andando. Vamos assistir a essa famosa prova de salto.

Silvestre levantou-se junto com o general. Um bem-te-vi cantava próximo das janelas. O militar ajeitou na cabeça o casquete bordado com as insígnias do posto. O fazendeiro olhou-o com admiração.

– É impressionante a tua calma.

– Estamos desconfiando de todo mundo, Silvestre. Principalmente dos sargentos. Melhor manter todas as aparências de normalidade.

Dez e quinze da manhã. A pista de saltos vista do palanque oficial. Areia úmida e lisa. Obstáculos pintados de branco e vermelho.

Ouve-se um toque de clarim. O primeiro cavaleiro entra pela direita. O alto-falante o identifica: *Sargento Matias, montando Araucano.* O cavalo preto parece muito nervoso. O sargento procura dominá-lo. Começa a galopar num círculo largo e investe para o primeiro obstáculo. O animal pula sobre as traves horizontais. O público aplaude. Todo o quadrilátero está cercado de civis e militares. Alguns retardatários procuram espiar por cima dos outros. O cavalo preto derruba uma trave do quarto obstáculo. O público geme em desagrado.

– Esse aí não ganha do sargento Bóris.

– Ninguém ganha hoje do sargento Bóris, Rafael.

– Não sei, Willy. O Paraná tem pouco tempo de doma... Por onde andará o Zé Matungo?

– Acho que está cuidando do 45. O tenente está lá no palanque. Com... com a tua irmã.

Willy baixou a cabeça e ergueu-a ao ouvir o toque de clarim. O locutor identificou o concorrente: *Sargento Cipriano, montando Flor-de-Lis.* Rafael tirou o boné bico de pato e enxugou a testa com as costas do braço.

– Essa eguinha também não ganha do Paraná.

O sargento Bóris Cabrini entrou finalmente em pista. O cavalo tordilho pisando suave na areia macia. Ereto na sela, o cavaleiro recebeu uma verdadeira ovação. Sob o toldo do palanque oficial, o general sussurrou para Silvestre:

– Esse é o primeiro que nós vamos tirar de circulação.

– Então espera o fim da prova. O tordilho é da minha marca.

O general engoliu em seco. A voz quase num murmúrio:

– De onde é que tu conheces esse comunista?

– Nunca tinha visto. O Rafael é que vendeu o cavalo para ele. Quase deu, de tão barato.

O general fechou ainda mais a cara. Silvestre concentrou-se na pista. O público aplaudia cada salto com redobrado entusiasmo.

– Comunista ou não, esse sargento é um grande cavaleiro. E o meu tordilho não perde esta competição.

O cavalo Paraná venceu o obstáculo mais difícil, numa sucessão de três saltos em espaço reduzido, e completou a prova sem nada derrubar. Pista limpa. A primeira daquela manhã. Marcela aplaudia com entusiasmo. Fraga suava debaixo dos braços. A boca seca.

— Vou descer, Marcela. Daqui a pouco começa a prova dos oficiais.

— Posso ir contigo?

— Acho melhor que não. Tchau, garota! Se eu pudesse, te dava um beijo.

Marcela olhou-o fundo nos olhos. A voz soou baixa e macia:

— Então vai lá e ganha a prova.

Atordoado, o tenente desceu do palanque, acompanhado de outros oficiais. Terminado o concurso dos sargentos, a pista sofria nova toalete. Soldados retiravam estrume com pás e carrinhos de mão. Outros regavam as partes mais secas da areia. Dois rolos compressores eram puxados para cima e para baixo. Em poucos minutos, não restava vestígio da prova anterior.

O alto-falante identificou o primeiro concorrente: *Tenente Silva, montando Minuano!* Muitos aplausos no palanque oficial. Os soldados ficaram em silêncio.

— Nesta prova ganha o capitão Peçanha.

Rafael olhou admirado para Willy. Estranhando a voz grossa e rouca.

— E o tenente Fraga?

— Estou rezando para que ele não se machuque.

Onze e meia da manhã. O público acompanha o final da prova em completo silêncio. Peçanha e Fraga fizeram pista limpa e empataram também no cronômetro. Retomando para o desempate, o capitão fizera outro percurso perfeito. Agora o tenente Fraga entrava em pista. O cavalo baio coberto de suor espumoso. Soou novamente o gongo. Fraga cutucou o animal com as esporas e arremeteu para o primeiro obstáculo. As varas agora estavam dez centímetros mais altas. O animal passou com os cascos raspando. Silvestre tomou um gole de guaraná e comentou para o cunhado:

— O baio está cansado. E o tenente muito nervoso.

— Vamos ver se aguentam até o fim. O capitão Peçanha também não é da nossa confiança.

— Então só nos sobraram os maturrangos?

No meio da prova, Fraga foi obrigado a usar o chicote. Com a respiração sibilante, o baio acelerou o galope. O obstáculo cresceu imenso na frente do cavaleiro. Firme nos estribos, o tenente preparou-se para ser erguido no ar. Mas, no momento do salto, o baio refugou diante do obstáculo. No mesmo impulso, o tenente saiu pela cabeça do animal, caindo sobre os paus.

Correria de soldados. Uns buscando o cavalo, que trotava meio de lado. Outros socorrendo o tenente e recompondo o obstáculo. Fraga mancava visivelmente de uma perna. Silvestre olhou para o general.

— Se cagou a china Dominga.

Mas o tenente montou de novo, sob os aplausos do público. Segunda tentativa no mesmo obstáculo e novo refugo. O tenente surrou o baio com raiva. Ouviram-se algumas vaias isoladas. Marcela baixou a cabeça. Só ficou ouvindo o estalo do chicote e o gemido decepcionado do público. Terceiro refugo. Soou o clarim, desclassificando o tenente. Mulheres abraçavam e beijavam a esposa do capitão Peçanha.

Poucos minutos depois, inicia-se a cerimônia de entrega dos prêmios. O sol a pino castiga o público cansado. O sargento Bóris recebe sua taça das mãos do coronel Marques. Aplausos discretos no palanque e delirantes entre os soldados. O sargento aproxima-se do microfone para agradecer. Corpo esguio. Estatura alta. Rosto moreno cortado por um bigode fino. Nervoso, morde os lábios e engole em seco. A voz é cava. Com leve sotaque italiano.

— Sua Excelência Senhor General Euclides de Morais Sarmento, Comandante da Terceira Divisão de Cavalaria! Senhor Coronel Erasmo Marques, Comandante do glorioso 6º Regimento da Cavalaria! Demais autoridades civis e militares! Companheiros de farda! Minhas senhoras e meus senhores! Em meu nome pessoal e em nome da classe dos sargentos, quero...

– O EXÉRCITO BRASILEIRO NÃO TEM CLASSES!

O grito do general foi ouvido por todos. Silêncio absoluto.

O sargento perfilou-se, estarrecido. O general tinha o rosto afogueado. O lábio inferior tremia. Pegando a outra taça das mãos do ajudante de ordens, entregou-a rudemente ao capitão Peçanha. Constrangimento geral. O general voltou a erguer a voz:

– EM NOME DO EXÉRCITO BRASILEIRO! UNIDO, PATRIOTA E SEM DIVISÕES DE CLASSE, EU DOU COMO ENCERRADAS AS COMEMORAÇÕES DESTE DIA! CONVIDO A TODOS PARA CANTARMOS O HINO DA CAVALARIA!

– Puta que o pariu, Willy! Não sei como o tio Sarmento não mandou o sargento Bóris direto pro xadrez.

Willy desviou o olhar para a estrada. De ambos os lados, campos verdes com gado e ovelhas. O carro azul acabava de passar sobre uma ponte estreita. Do lado do motorista, o sol declinava no horizonte. Willy respirou fundo. Cheiro de poeira e marcela madura.

– Esse general é teu tio, Rafael?

– Tio-avô. Mas nem sempre é assim durão. Deve ser a política.

Zé Matungo sorriu no banco de trás.

– Olha como correm aquelas avestruz!

O carro entrou numa picada de mato baixo. Logo adiante começou o empedrado do arroio Capivari. Rafael diminuiu a marcha. Águas rasas e limpas. Willy pensou no moinho e suspirou. Que saudade da Ana, de todos lá de casa! O carro sacolejava sobre as pedras.

– Se der, eu gostaria de voltar aqui para pescar uns lambaris.

Zé Matungo botou uma mão grande no ombro do amigo.

– Aqui na estância nós só usemo lambari pra isca. No Ibirapuitã dá cada traíra e jundiá deste tamanho!

Além do arroio começavam as terras de Silvestre Bandeira. Apenas a dez quilômetros da cidade. Dos dois lados do corredor, começaram a aparecer as vacas vermelhas de cara branca. Do lado direito, numa elevação rara do terreno plano, a sede da estância recebia o clarão do sol poente. Rafael começou a explicar a disposição das casas.

– O prédio grande, bem da esquerda, é a cabanha dos bovinos e ovinos. Aquele mais baixo e comprido tem dez baias para os cavalos.

– Doze, Rafael. Não te esquece que as reforma tão pronta.

– É isso mesmo, Willy, o Zé Matungo tem razão.

– Quantos cavalos tem ao todo, na estância?

– Contando os potranquinhos, quase duzentos.

– Cruzes!

Rafael diminuiu mais a marcha do carro.

– À direita das baias fica o galpão campeiro, que serve de sala, refeitório e alojamento dos peões. E o último prédio, lá do lado do umbu grande, é a nossa casa. O Armando tem uma casinha para ele e a família bem atrás da nossa. Mas não se enxerga daqui. No fundo do galpão ficam as garagens e a carpintaria.

Willy admirava todos os detalhes. A pastagem verde e limpa como um gramado de jardim. A simetria perfeita das cercas de sete fios de arame. A beleza do gado, todo do mesmo pelo. Um rebanho de ovelhas caminhando em fila na direção do açude. As águas espelhando as cores violeta e rosa do pôr do sol.

O carrinho dobrou para a direita e imobilizou-se diante da porteira. Willy desceu para abri-la, mas atrapalhou-se. Zé Matungo saiu para ajudá-lo. Já havia luzes acesas na estância. O cata-vento girava lerdo, mais alto que o arvoredo.

O Volkswagen andou um pouco e parou para dar passagem a um cortejo de gansos. Para a esquerda, Willy percebeu uma área grande de terra lavrada. O trator não estava à vista, mas era nítido o ruído do motor.

— Pensei que vocês não plantavam nada. Só criavam animais.

— Plantamos aveia e milho para a cabanha. Mas a maioria dos animais vive a campo. Não sei o que custaria para racionar mais de três mil reses.

— Sem contar as ovelha, que são cinco mil e tantas.

Assombrado, Willy gaguejou:

— Qual... qual é mesmo o tamanho disso tudo?

— São mais ou menos quatro mil e quinhentos hectares. Aqui no Rio Grande do Sul ainda é muito. Mas no Mato Grosso não é nada. Dizem que o Jango tem uma estância por lá que dá quatro destas.

Willy pensou nos 27 hectares do moinho e sorriu. Tanta dificuldade para conservar aquela chacrinha de areia. A briga permanente com o tio Klaus. O trabalho de sol a sol e os domingos na tendinha na beira da estrada. Regateando com os turistas. Se a gente pudesse comprar um trator... A Ana tem paixão por máquinas; ia dirigir num instante. Quem sabe até eu pudesse voltar para o seminário. Mas que nada! *Wir sind immer knap bei Kasse.* E sem dinheiro pouco se pode fazer. O boi Alegre está velho demais. O pobre do Queimado é que aguenta o arado. Ainda bem que a nossa terra é macia. Mas o agrônomo da Ascar já disse pra Gisela: sem adubar muito nós cada vez vamos colher menos.

Armando esperava na frente do galpão. Uma lanterna acesa na mão esquerda. Cachorros latiam e pulavam nas portas do carro, sob os protestos de Rafael. O capataz apertou a mão de Willy e aceitou a bênção do filho. Um peão tirava os arreios suados de um cavalo branco. Escuridão quebrada pela luz fraca do galpão e pelo foco em movimento da lanterna.

— O vovô já chegou, Armando?

— Há horas. Ele e a Marcelinha. Trouxeram um enorme sortimento da cooperativa.

— Ué... Será que a Marcela desistiu do baile?

— Veio o meu fumo em rama, José? A tua mãe tá com a boca nas orelha. Treis dia de licença só pra repassá um reiuno véio.

— Reiuno véio!? Bem se vê que o senhor não conhece o 45. Corcoveia mais que a troncha do Amabílio! Depois fica de rédea no chão, o maleva. Pena que o tenente não tem muita prática. Senão ele...

Willy levantou sua mochila e saiu atrás de Zé Matungo. Rafael pegou-o por um braço.

— Tu vens comigo pra casa.

— Não seria melhor eu ficar com o Zé? Ou aqui no galpão?

— Nada disso! Tem muito quarto sobrando lá dentro. E o vovô não ia gostar. Tu sabes que ele fala um pouco de alemão? Aprendeu quando pequeno com a babá, a dona Carola.

Rafael abriu a cancela e passou para o terreno da casa. Seus coturnos faziam ruído no areião. Willy respirou fundo. Cheiro de fogo de lenha e folhas de eucalipto. Um alpendre circundava o casarão já imerso na noite. Silvestre surgiu na moldura iluminada da porta. Uma figura maciça de ombros largos e gestos hospitaleiros.

O escritório tinha as paredes cobertas de armas antigas e uma infinidade de objetos campeiros. Duas prateleiras alinhavam os troféus de muitas exposições. A luz amarelada da única lâmpada deixava no escuro os cantos mais afastados. Um pequeno fogo brilhava na lareira. Cheiro de couro curtido e picumã.

— Quer um mate, Willy?

— Sim... Não, senhor. Não sei tomar, obrigado.

— Pois eu sem mate sou igual a auto sem gasolina. Quem sabe toma um uísque? *Schnaps* eu não tenho.

— Não bebo nada, senhor. Muito obrigado.

Marcela entrou pela porta da sala e deu dois beijos no rosto de Willy. Os cabelos recém-lavados caíam em cachos negros sobre os ombros.

— Fiquei feliz quando o Rafael te convidou. Tu gostas de galinha com arroz?

— Sim... Eu... gosto muito, sim senhora.

Marcela botou as mãos nas cadeiras. O vestido azul era antigo, estilo saco.

— Senhora?! Sou só dois anos mais velha que o Rafael, tá sabendo?

Willy ficou vermelho e balbuciou uma desculpa. Marcela ria, abraçada ao avô.

— Senta um pouquinho. Vamos tomar um mate.

— Nada disso, vovô. Eu tenho que ajudar a Clotilde a arrumar a mesa. E esses dois soldados vão direto tomar banho.

— Então vai mostrar o quarto para o nosso hóspede. Preciso conversar um pouco com o Rafael.

Marcela pegou a sacola verde, sob os protestos de Willy. Silvestre sentou-se num banco perto do fogo e encheu um mate para o neto.

— O Sarmento me disse hoje que o sargento Bóris é comunista.

O rapaz tirou a boca da bomba de prata.

— É o meu azar de ter um tio-avô general.

— Mas na hora de conseguir dispensa tu gostas, não é?

— Negativo, vovô. Quem nos conseguiu a dispensa foi o sargento Acácio.

— Toma logo esse mate e presta atenção no que eu vou te dizer. Os comunistas são sempre muito simpáticos com os subordinados. É a tática deles para começar a doutrinação. Mas em 35 eles mataram oficiais até dormindo... Não quero que tu fales mais com esse sargento Bóris, Rafael.

— Mas vovô... Ele é meu superior. Mesmo que eu quisesse... Nós estamos no mesmo esquadrão. No mesmo regimento.

— Isso não é problema. O Sarmento já está providenciando a tua transferência para outra unidade. Rafael! Onde é que tu vais, menino? Volta aqui!

— Voltar pra que, vovô? Vocês já decidiram tudo. Eu bem que não queria servir nessa porcaria de quartel!

Quase meia-noite. Rafael estacionou o carro junto da calçada e puxou o freio de mão. Nenhum movimento na rua Dr. Lauro. Latir distante de cachorros. Uma lâmpada azul identificava o casarão.

— É aqui a Chininha, Willy. Se o sargento Bóris não estiver no cabaré, não sei onde mais vamos procurar.

— Quem sabe já está preso?

— Até pode ser... Vamos até lá?

— É melhor eu ficar aqui cuidando a patrulha.

— Tá bem, alemão. Eu volto logo.

O rapaz puxou o casquete militar sobre a orelha e saiu do carro. Céu estrelado com algumas nuvens esparsas. Aproximou-se em passo decidido e tocou a campainha ao lado da porta. Alguns segundos de espera e abriu-se o postigo de uma janela. A mulher com rosto de índia olhou para o soldado através da vidraça. Rafael fez sinal para que abrisse a porta. A mulher fez que não com a cabeça e fechou o postigo.

— Que merda! Esta velha tá cada vez mais rabugenta. Mas ela não me conhece! Finco o dedo na campainha e não tiro até ela abrir.

Depois de alguns segundos de insistência, a porta abriu-se com um repelão. Um mulato grande barrou a entrada do soldado. Por detrás dele, surgiu a dona do cabaré. O rosto enrugado, sem nenhuma pintura. A voz seca e autoritária.

— Tu tá querendo fazê bagunça na minha casa, guri? Deixa que eu vou contá pro teu avô.

— Não estou fazendo bagunça nenhuma, dona Chininha. Só quero saber se o sargento Bóris está aí dentro. Assunto de quartel.

— Ele tá empernado. Se tu quisé, fica esperando ele aí na rua.

Rafael amaciou a voz.

— Deixe eu entrar pelo pátio. Posso esperar num quarto dos fundos. Bebendo uma cervejinha.

O rosto enrugado não mudou de expressão.

— Tá bem. Mas quero o pagamento do quarto adiantado. Eu vô mandá a Silvana pra esperá contigo.

— A Silvana e a Glorinha. Tem um amigo meu que vai entrar também.

— Então me paga dois quarto. Suruba não quero na minha casa, tu sabe bem.

Rafael tirou a carteira do bolso da farda e contou o dinheiro. Pagou com sobra para a mulher e deu uma gorjeta grande para o leão-de-chácara. O mulato arreganhou os dentes amarelos.

— Melhor tu botá o teu auto na garagem. A patrulha já conhece ele de cor.

Dentro da garagem, Rafael tirou Willy quase à força para o pátio escuro. Réstias de luz e som abafado de música. O mulato ralhou com o cachorro policial e prendeu-o no galpão da lenha. Rafael recebeu as chaves e abriu a porta do primeiro quarto. Tateou na parede e acendeu a luz. Uma cama de casal ocupava quase todo o cubículo. Ao lado dela, uma bacia de lata sobre um tripé. Cheiro de mofo e talco barato.

— Tu esperas aqui, alemão. Vou buscar as chinas e já volto.

— Mas eu, eu não quero, Rafael. Tu sabes que eu, eu não posso.

Rafael empurrou o amigo para dentro do quarto e fechou a porta. As duas mulheres já vinham chegando. Os saltos altos batendo no lajeado.

— Rafael! Como tu tá engraçado de cabeça pelada!

— Pelado ele deve sê mais gostoso, Glorinha.

O soldado beijou as duas mulheres no rosto. Sem perder tempo, segurou o braço da mais baixinha e lhe deu as instruções quase no ouvido.

— ...saiu há pouco do seminário. Tou falando sério, Glorinha. Vai com calma pra não assustar ele. E não cobra nada. Quem paga sou eu.

A mulher pegou a chave do quarto e ajeitou-se dentro da saia.

– Deixa comigo! Amanhã ele volta aqui que nem terneiro guaxo, berrando por mais.

Silvana passou um braço pela cintura de Rafael.

– Tava morrendo de saudade, amor. Vem duma vez que eu quero te comer todinho.

– Daqui a pouco, Silvana. Preciso falar primeiro com o sargento Bóris. Assunto superurgente.

A mulher suspirou com exagero. A boca vermelha perto do rosto do soldado. As mãos buscando caminho por baixo da túnica.

– Antes tu não gostava de homem, amor.

– Vai à merda, Silvana.

– Contigo eu vou a qualquer lugar, amor.

Rafael pegou a mão da morena e puxou-a para o quarto. Tinha só dezoito anos de idade e o sargento Bóris podia esperar.

Três horas da manhã. Apenas um terneiro berra para os lados do galpão. Silêncio completo dentro da casa. Sentado na cama, de pernas cruzadas, Rafael come um pedaço de carne fria. Willy está na cama junto à janela. O pijama emprestado grande demais. O rosto sardento com expressão serena.

– Tu te importas se eu rezar, Rafael?

O amigo respondeu de boca cheia.

– Claro que não. E hoje tu precisas muito, não é?

– Já te disse que nós só ficamos conversando.

– Duas horas conversando com a Glorinha? Ela não tem assunto pra tudo isso.

Durante o trajeto da cidade à estância, Willy cansara de tentar convencer Rafael. Resolveu mudar de tática.

– E tu, como é que foi?

Rafael bocejou sem tapar a boca.

– Eu? Fiquei quase todo tempo falando com o sargento. Ele é um cara legal. Me contou muitas coisas sobre o Brasil. Acho que ele não é comunista. Só tem consciência social. Não tolera essa miséria do Nordeste. A exploração dos Estados Unidos. Ele agradeceu o meu aviso, mas acha que o tio Sarmento não faz revolução. Ele acredita muito na vocação legalista do Exército.

— O sargento Bóris vai ser preso e expulso do Exército.

Rafael estranhou a voz grossa e encarou meio assustado o amigo.

— Como é que tu sabes, Willy? Hoje... hoje também tu sabias que o tenente Fraga ia cair do 45.

Willy tentou sorrir.

— Nem eu sei, Rafael. Agora eu preciso rezar, com a tua licença.

Rafael respirou fundo. Espichou-se na cama e virou-se para a parede. Willy ajoelhou-se e fez o sinal da cruz. Um galo cantou bem próximo. Lágrimas brilhavam nos olhos do rapaz.

Rafael virou-se de repente e encarou o amigo.

— Por que tu não volta pro seminário, alemão? Agora tu tá rezando pra quem?

Willy enxugou os olhos com a manga do pijama.

— Estou rezando pela alma da Glorinha.

Rafael pegou um cigarro da mesa de cabeceira.

— Não te entendo, alemão. Tu tens a mesma idade que eu. Hoje tu ajudaste na doma como um verdadeiro gaúcho. Nunca te vejo com medo de nada. Só de mulher.

Willy continuava ajoelhado. A voz mansa.

— Eu não tenho medo de mulher. Eu amo do meu jeito. E a Glorinha ama sem amor... Mas hoje ela começou o caminho de volta. Rafael, ela me prometeu que vai se confessar. Ela me disse que... que ainda acredita em Deus.

Rafael apagou o cigarro e olhou desconsolado para o amigo.

— Tá bem, alemão. Boa noite e amém.

Desligou a luz de cabeceira e não demorou a ressonar regularmente.

Litoral sul do Brasil
Verão de 1968

Rafael acordou com dor de cabeça. Na obscuridade do quarto, tateou a mesa de cabeceira em busca do envelope aluminizado. Sentou-se na beira da cama, pegou o copo e certificou-se de que não estava vazio. Rasgou o envelope com mãos trêmulas e deixou cair o comprimido dentro da água. Ouviu o chiado com impaciência, a boca amarga. De um só gole esvaziou o copo e deitou-se de novo. Já estava quase dormindo quando ouviu o rangido da porta e a voz grossa do avô.

— Acorda, vagabundo! Este quarto está com um cheiro de cachorro molhado... Não sei como é que tu aguentas!

Prevendo o próximo ato, Rafael puxou o lençol sobre a cabeça.

A luz da manhã não venceu seus olhos fechados. Mas ouviu bem forte o ruído do mar.

— O Gilson e a Marcela estão na praia desde as oito horas... Puxa! Tu tomaste toda esta garrafa de uísque?

Rafael emergiu debaixo do lençol. Mas não abriu os olhos.

— Tou de férias, vovô. Não me amole.

— Aquela guria sobrinha do Gastão também bebe como um gambá. Acho que tu andas comendo ela, seu safado.

O rapaz abriu os olhos. Contra a luz do sol, o vulto do avô ainda era indistinto.

— Porra, vovô... Só porque o senhor implica com o tio Gastão, não precisa chamar a Laura de puta.

— Cara de puta, pintura de puta, maiô de puta. O que ela é?

Rafael esfregou os olhos e sentou-se na cama. Agora via distintamente Silvestre vestindo um conjunto safári marrom-
-claro, os sapatos de lona da mesma cor.

— No seu tempo, mulher ainda tomava banho de bombacha. A Laura comprou aquele biquíni em Punta del Este. Não tem nada de mais.

— Mas tem tudo de menos. Se alguém meter a mão na bunda dela lá na praia, ela não pode reclamar. Aliás, duvido que ela reclame.

— Quem tá reclamando sou eu... Para que me acordar cedo deste jeito? Até parece uma mania.

Silvestre sorriu. O rosto bem barbeado mostrava mais algumas rugas. Mas o queixo quadrado mantinha a mesma expressão de força. E os olhos castanhos ainda eram moços.

— Nisso tu tens razão. Tenho um prazer enorme em tirar os vagabundos da cama. Mas hoje eu preciso mesmo de ti.

Rafael levantou-se e trocou a calça de pijama por um *short* de brim desbotado. Tinha os cabelos crespos revoltos e o corpo bronzeado de sol. Ombros largos como o avô. Apenas bem mais esguio.

— Onde é que nós vamos, desta vez?

— A Clotilde me deu uma lista de compras de metro e meio. A Lúcia e o Gastão vêm almoçar conosco.

— Por que o senhor não vai de caminhonete com o Zé Matungo?

— Ele ainda está muito barbeiro. E eu não gosto de guiar em Torres, desde que aquele motociclo me pechou... Lava logo esse focinho e vamos descer.

Dez minutos depois, ainda discutindo amigavelmente, os dois homens desceram as escadas do bangalô. No andar térreo, as janelas deixavam ver um grande pedaço do mar. Apenas a rua estreita separava a casa da praia. Poucos guarda-sóis naquela terça-feira. Para a direita, erguiam-se as torres de pedra trabalhadas pelo tempo. Gaivotas e mergulhões voavam baixo sobre as águas verdes.

— O mar está ótimo! Acho que vou botar o calção e dar um mergulho antes do café.

— De jeito nenhum. A Clotilde precisa das compras até às dez horas. Tu sabes como é o Gastão. Se não come ao meio-dia em ponto, vira numa fera.

— Não é só o tio Gastão... Vocês todos não perdem nunca a mania dos horários. Praia é lugar de curtição, vovô.

— Não senhor. Curtição é no curtume.

Silvestre ficou na sala, relendo o jornal de domingo. A mesa do café estava arrumada na copa. Uma moça negra de rosto bonito entrou pela porta da cozinha. Cheiro de café e pão tostado. A jovem vestia uma blusa azul sem decote e saia branca abaixo dos joelhos. Colocou a bandeja sobre a mesa e sorriu. Duas covinhas nas bochechas redondas.

— Bom dia, Rafael. Que calor que já está esta hora!

— Culpa tua, Clotilde. Quando é que tu vais usar o *short* que eu te dei de aniversário?

— No dia de São Nunca.

— Mas pro Ataíde tu gostas de mostrar as pernas, não é? Sua santinha do pau oco.

— O Ataíde é meu noivo. Só junto com ele eu posso usar maiô.

— Mais escuro o café, faz favor. Por mim eu só tomava uma coca gelada. Mas tu vais lá direto contar pro vovô.

Clotilde colocou mais café sobre o leite e aproximou a manteigueira da xícara.

— Tá tudo aí!

— Ué? E cadê o queijo?

— Não tem mais. Vocês não sai pra fazer compras... Toma logo o café, senão hoje não tem almoço.

— Onde é que está o Zé Matungo?

— Saiu cedo para conseguir milho verde. Deve andá conversando com os carrocero.

— Sabe se ele lavou o Karman-Ghia?

— Não tinha água hoje cedo. Agora que voltou.

Silvestre entrou com dificuldade no carro esporte. O ronco do motor deixou-o ainda mais contrariado.

— Por que tu não consertas esse cano de descarga?

— É assim mesmo, vovô. Deixa eu ter vinte e dois anos...

— Com a tua idade eu já era casado e tomava conta da estância.

– Já sei. E com vinte e três anos o senhor lutou na revolução para derrubar o Borges de Medeiros... Que hoje virou viaduto em Porto Alegre.

Atraída pelo ronco do motor, Marcela veio correndo da praia. Vestia um maiô branco sem alças. O cabelo preto bem puxado num rabo de cavalo. O corpo moreno atraindo os olhares de um grupo de rapazes. Logo atrás dela, Gilson Fraga exibia seus músculos dentro de um calção minúsculo.

– O teu futuro neto usa biquínis menores que os da Laura.

– O que eu acho uma frescura, Rafael. Mas não posso dizer.

Marcela abaixou-se e deu um beijo estalado no rosto do avô.

– Não se esqueçam dos camarões. Vou fazer de entrada o coquetel como a tia Lúcia gosta. Vinho branco ainda tem bastante. É melhor eu dar mais uma olhada nessa lista, vovô... Na última hora é um deus nos acuda.

No alto da taça bojuda, três camarões gigantes com meio corpo de fora do creme alaranjado. Na parte de baixo, o líquido vermelho que mantinha o coquetel gelado. Gastão puxou um camarão com os dedos gordos e mastigou-o com prazer. Lúcia sacudiu a cabeça, desconsolada. Usava os cabelos bem curtos, pintados do mesmo tom castanho avermelhado. A blusa leve deixava nus os ombros e o colo pintado de sardas. Engordara um pouco, o que lhe era favorável para o rosto. Mas as cadeiras largas marcavam bem alto o eslaque apertado.

– O Gastão fica impossível quando está com fome. Deixa pelo menos todos se sentarem à mesa, seu mal-educado.

– Deixa, tia Lúcia. Gosto que ele se sinta à vontade aqui em casa.

O fazendeiro pegou outro camarão, chupou-lhe o creme e devorou-o em três mastigadas. A calva brilhante de suor. Uma camiseta velha modelando a barriga que caía sobre a bermuda. Marcela colocou um cinzeiro ao lado do prato e estimulou Gastão a repousar ali o charuto babado. Lúcia desviou os olhos para Silvestre, que conversava com Gilson e Rafael. Admirou o conjunto safári e o cabelo grisalho bem penteado. Tudo no aspecto do primo contrastava com o desleixo do marido.

– Vamos sentar, Silvestre. Senão esse glutão devora tudo que está na mesa. Quero pedir desculpas pela Laura. Ainda deve estar dormindo no hotel.

Rafael e Gilson sentaram-se do lado direito, de costas para o mar. Lúcia e Marcela ocuparam o outro lado da mesa. Gastão já estava sentado numa cabeceira, mastigando o terceiro camarão. Silvestre ocupou a outra extremidade, desdobrando o guardanapo e colocando-o no colo. Todos imitaram seu gesto, com exceção de Gastão. O ventilador varria a mesa com uma brisa suave.

– Um pouco de vinho, Lúcia? Está gelado no ponto. É o *Liebfraumilch* alemão, que tu gostas.

– Obrigada, primo. Marcela! Este teu coquetel de camarões está divino! Não me admiro que o Gastão já tenha limpado a taça.

– O mérito é seu. Segui direitinho a sua receita.

E virando o busto para a porta da cozinha:

– Clotilde! Faz o favor de servir mais um coquetel para o seu Gastão.

Clotilde vestia sobre a roupa um avental branco engomado. A touquinha no cabelo dava-lhe um aspecto de boneca. Gastão seguiu o movimento das ancas, passando a língua pelos lábios grossos. Botou o charuto na boca e bateu no bolso à procura dos fósforos.

– Se tu acenderes essa porcaria na mesa, eu te juro que levanto e vou-me embora.

– Tá bem, Lulu. Eu estava só distraído.

– E não me chama mais de Lulu! Outro dia eu passei uma vergonha... O general Garrastazu estava lá na estância e pensou que o Gastão estivesse chamando um cachorro. E era eu, o desgraçado!

No meio da refeição, o vinho branco começou a aquecer as discussões. Apenas Gastão ainda atacava o lombo com presunto, depois de ter devorado metade da travessa de macarrão à parisiense. Sua boca babada alternava a mastigação com chupadas no charuto. Lúcia não lhe fazia mais atenção, os olhos azuis fixos nos lábios do primo. Silvestre lançava farpas políticas para irritar Gilson.

– ...como eu estou te dizendo, Gilson. O Costa e Silva só é bom mesmo no baralho. Para mim, ele é tão burro como o Dutra. Se não for mais.

– Como ele pode ser burro, se foi o primeiro colocado em todos os cursos militares?

– Imagino o QI dos que ficaram atrás dele.

Rafael meteu-se na conversa.

– Vocês conhecem a estória do Costa e Silva no estaleiro naval? Não conhecem? Pois ele foi com a Dona Yolanda inaugurar um navio e na hora que recebeu o champagne, atrapalhou-se. Aí o ajudante de ordens falou baixinho: "Quebre no casco". E o Costa e Silva levantou o coturno e já ia batendo nele com a garrafa!

Todos riram, menos Gilson e Gastão. Lúcia olhou para os lados e segredou a Marcela:

– Lá em Bagé dizem horrores da mulher dele. Desde o tempo em que ela morava em Pelotas.

– Ora, tia Lúcia, da mulher do Jango também diziam horrores. É o mal de se meter em política. Agora que o Jango está exilado no Uruguai, ninguém mais fala na Dona Maria Tereza. Só a musiquinha do Juca Chaves.

Gastão rompeu o seu mutismo.

– O Jango anda bebendo demais. E não sai do cassino de Carrasco.

– Dizem que ele e o Brizola nem se falam, não é, tio Gastão?

Silvestre levantou uma mão espalmada.

– Por favor, Rafael. Nada de palavrões na mesa. E o Gilson aqui não deve ficar com essa cara de ofendido quando se fala mal dos militares. Nós estamos contra os militares na política. Nada contra os que ficaram nos quartéis.

Rafael aprovou com a cabeça, enquanto esvaziava o cálice de vinho.

– Os milicos tomaram conta do Brasil. Agora eles são ministros, governadores, secretários, deputados. Não há empresa multinacional que não tenha um general reformado na diretoria. Até na minha faculdade o diretor é um coronel.

Vendo que Gilson estava a ponto de levantar-se da mesa, Lúcia retribuiu o olhar suplicante de Marcela.

– Acho melhor a gente falar em flores... Para quando é o casamento, tenente?

Silvestre baixou a cabeça e concentrou-se na sobremesa. Gilson encabulou, o sangue subindo até as orelhas. Seu rosto largo pareceu mais jovem. Os olhos grandes procuraram o rosto de Marcela.

– Estamos só aguardando a minha promoção. A Marcela não quer montar casa em Quaraí e logo fazer uma mudança.

– Que bom se vocês fossem para Bagé! Será que o Sarmento não conseguia essa transferência, Silvestre?

– O Sarmento está na reserva, Lúcia. Desde o ano passado.

– Deu no jornal que ele vai assumir uma diretoria da Petrobrás.

Rafael riu novamente.

– Lugar ideal para um general de cavalaria.

Gilson não se conteve mais. A voz irritada lembrou a Rafael seu tempo de soldado.

– O que tem de errado com os oficiais de cavalaria?

Todos esperaram que Silvestre interferisse. Silêncio quebrado pelo ronronar do ventilador. Uma buzina soou forte na rua. Mas foi Gastão o primeiro a falar. Os olhos empapuçados fixos em Silvestre.

– Para mim só tem tudo de bom. No Rio Grande do Sul não se fala mais em reforma agrária. Desde a Revolução de 64, eu já comprei mais de mil hectares de pequenos proprietários.

Estou plantando soja com dinheiro barato do Banco do Brasil. Gente da nossa classe tem que estar louca se falar mal dos militares. Até os viúvos do falecido Partido Libertador.

Três horas da tarde. O sol envolve o bangalô com uma luz forte e trêmula. Cessaram todos os ruídos. Até os da cozinha. No seu quarto, no segundo andar, Marcela ouve abafados os roncos do avô. Apesar das venezianas e cortinas fechadas, ainda vê distintamente o armário grande e a penteadeira em desordem. Deitada na cama, sente o suor brotar-lhe do pescoço e das pernas. O pequeno ventilador não consegue aliviar o calor sufocante. A moça senta-se na cama e desabotoa o sutiã. Os seios grandes e firmes. A cor mais clara que o rosto e as coxas morenas de sol. Tira a calcinha azul-turquesa e expõe o triângulo perfeito de pelos encaracolados. Abre as pernas contra a aragem lenta do ventilador. Pouco a pouco seus olhos vão pesando de sono. Quando a porta se abre, seu ressonar chega nítido aos ouvidos do homem.

Gilson fecha a porta com cuidado. Procura a chave para trancá-la, mas não encontra nenhuma. Por um momento, é assaltado pelo pânico. Procura espantar da mente o rosto carrancudo, o olhar duro de Silvestre. Rafael não o preocupa. Sabe que o rapaz saiu para encontrar Laura. Devem estar fazendo amor em qualquer lugar da praia imensa que se perde para o sul. O tenente fecha os olhos para acostumar-se com a escuridão. Sente as mãos trêmulas, a boca seca, o coração batendo no pescoço. Abre os olhos e distingue o corpo de Marcela. A cor âmbar do desenho do maiô. A curva perfeita dos quadris. As coxas entreabertas.

O rapaz tira o calção e se aproxima da cama. Uma tábua range sob seus pés descalços. Imobilizado, olha para o corpo da moça e procura escutar os roncos do avô. Não ouve nada e volta a sentir medo. Mas logo os roncos recomeçam bem nítidos.

Marcela acordou com o corpo pesado que a esmagava sobre o colchão. Com o joelho ossudo a lhe comprimir o sexo. Tentou falar, mas teve a boca fechada por um beijo violento. A língua era dura e forçava passagem entre seus dentes. Sufocada, empurrou o peito musculoso do rapaz e livrou a boca por um momento.

— Devagar, Gilson, por favor. Eu... eu também quero. Mas não assim. O vovô pode acordar. Gilson, por favor...

— Eu não vou embora, Marcela. Te juro que... não vou.

— Por favor, Gilson... Mais devagar... meu amor. Tu sabes que eu... Deixa, deixa eu te tocar primeiro.

— Não, Marcela, hoje não. Desse jeito eu... eu não quero mais.

Marcela fecha os olhos e relaxa o corpo. Gilson aperta-lhe os seios com as mãos espalmadas. Marcela sente seu ventre se abrindo, numa dor alucinante. Começa a gemer alto, estonteada de prazer. O rapaz tapa-lhe a boca com a mão suada. E deixa correr de uma só vez o rio que guardava dentro de si.

Seis horas da tarde. O sol ainda está alto do horizonte. Rafael acelera mais o carro esporte e Marcela reclama.

— Para que correr deste jeito? Ainda vai custar muito para escurecer. E a casa do Willy deve estar pertinho.

— Corro porque gosto! Tu és igualzinha ao vovô. Parece que os dois são da mesma idade.

Marcela pensou em Silvestre e sentiu remorso. O vovô ali dormindo, quase do meu lado... Não sei como tive coragem. Mas o Gilson não... não ia parar mesmo. Ainda estou toda doída e cheia de marcas pelo corpo. Maiô não posso usar por uns dias... Que linda esta lagoa Itapeva! Parece um cartão-postal. Mas ainda bem que nós vamos amanhã para Alegrete. Não quero que o Gilson se arrisque de novo. Não sei o que o vovô seria capaz de fazer. Ele tem tanto ciúme de mim, o pobrezinho. Nunca casou de medo que a segunda esposa não gostasse de nós. O seu Armando que me contou. E a tia Lúcia ainda é apaixonada por ele. Meu Deus! Como o Rafael está correndo!

— Para este auto, Rafael! Agora mesmo!

– Estás com vontade de fazer xixi?
– Vai pro inferno, Rafael! Mas vai devagar, por favor. Tu sabes que eu morro de medo.

Rafael diminuiu a marcha para sair da estrada principal. Um caminho estreito e arenoso subia em direção ao paredão de montanhas. Ainda mais imponentes para quem vinha do nível do mar. Desviando os buracos, o carrinho seguia lentamente. Do outro lado das cercas malcuidadas, pequenas plantações de milho, ananás e cana-de-açúcar. Quase nenhum gado. A não ser bois de canga e uma ou outra vaca leiteira. Na base da serra, os bananais subiam a perder de vista. Rafael parou o carro debaixo de uma figueira-brava. Abriu o porta-luvas e logo desistiu de procurar o papel.

– Vê se tu encontras, Marcela. É o mapa que o Willy nos fez. Daqui para diante tem um mundo de voltinhas... É um papel grande, tem que estar aí.

Marcela ajeitou o lenço de seda sobre os cabelos e começou a tirar bugigangas do porta-luvas.

– Que sujeira, meu Deus! Deve ter até ratos aqui dentro.

Rafael acendeu um cigarro e tentou fazer rodelas com a fumaça.

– Tem pílula anticoncepcional, camisa de vênus e tudo mais que necessita um jovem garanhão como eu.

– Antes tu não dizias tanta bobagem na minha frente! Agora estás ficando moderninho. O papel não é este? Não é. Deixa eu ver se está mais no fundo. Deve ser este aqui.

Rafael abriu o papel sobre o guidom e memorizou o resto do caminho. A figueira grande estava marcada no mapa, como ele se lembrava. Agora tinha que passar uma olaria, dobrar à esquerda e depois à direita. Dali veriam pela primeira vez o rio, bem lá embaixo, no fundo do vale. Mais um quilômetro e pouco de subida para a direita. A casa do moinho estava desenhada com capricho. Um trabalho de miniaturista. Marcela riu dos bichos identificados pelos nomes. A égua Pitanga. O cachorro Joli. A vaca Miguelina, comprada do seu Miguel Schultz.

– Que saudade do Willy! Como será que ele está se dando no seminário?

– Como um peixe dentro d'água. Aquele alemão biruta reza até no cabaré.

O rapaz movimentou novamente o carro e ligou o rádio. A voz conhecida do cantor Simonal acompanhou o ritmo dos solavancos.

"Moro... num país tropical... abençoado por Deus... e bonito por na... tureza... mas que beleza... em fevereiro... tem carnaval..."

– Tu vais pular carnaval este ano, Marcela?

"...tem o fusca e o violão..."

– Não posso. O Gilson morre de ciúmes.

"...sou Flamengo, tenho uma nega chamada Tereza..."

– Tu não achas que esse cara tá ficando chato demais?

"Moro... num país tropical..."

– Chatos são vocês sempre implicando com ele. O Gilson adora o Exército...

"...abençoado por Deus..."

– Não é culpa dele se tem miséria no Brasil.

"...e bonito por na... tu... re... za..."

– Desliga esse rádio, Rafael! Não podemos nem conversar.

A casa do moinho pouco mudara nos últimos dez anos. Duas novas pinturas de óleo queimado haviam desbotado ao sol. Apenas as flores nas floreiras estavam mais viçosas. E uma garagem tinha sido construída ao lado da cozinha. Suas telhas de zinco destoavam do velho telhado onde Willy costumava escorregar. Os campos e lavouras estavam mais verdes. Muito diferentes naquele verão sem seca.

Diante da casa, Gisela observava o carrinho vermelho com a mão em pala sobre os olhos. Quem poderá ser a esta hora, *mein Gott*? De Três Forquilhas esse auto não é.

Marcela saiu do carro para abrir a porteira e acenou para a mulher alta e corpulenta. Gisela fez apenas uma inclinação leve de cabeça. Os braços caídos ao longo do corpo. Olhou para o avental desbotado e pensou em tirá-lo. *Keine sorgen.* Estou na minha casa e nem sei quem essa gente é.

– Sou a Marcela e este é o meu irmão Rafael. Somos amigos do Willy. A senhora deve ser a Gisela.

Um sorriso discreto apaziguou o rosto sisudo.

– Sim, sou eu. Vocês são de Alegrete, não é? Pena que o Willy não esteja aqui.

– Ele está no seminário em São Leopoldo. Nós sabemos.

Marcela avançou para beijar Gisela, mas intimidou-se. Apertou-lhe a mão grande e áspera e ficou calada. Rafael imitou-a, também constrangido.

– Muito prazer. Não queríamos incomodar, mas é que estamos de férias em Torres e o alemão... O Willy queria tanto que a gente conhecesse o moinho. Mas podemos voltar outra vez. Sei que já é tarde e...

Gisela pareceu acordar do torpor.

– Nada disso! É um prazer vocês terem vindo. É que eu não estava preparada. Estava tirando o pão do forno.

Marcela arregalou os olhos castanhos.

– Pão feito em casa? O Willy sempre dizia que o seu pão é o melhor do mundo, Dona Gisela.

– Exagero dele.

– Posso ajudar com o pão? Lá em casa eu sempre ajudo a Dona Zuleica. Ela é a mãe de Zé Matungo, que também serviu com o Willy no quartel.

– Um que doma cavalos, não é? O Willy gosta muito dele. Vocês podem esperar um pouco aqui na varanda? Eu vou chamar a Aninha.

– Já ia perguntar por ela.

– Ela está lavrando uma terra perto do moinho. Para a safrinha do feijão, a senhora sabe.

– Não precisa me chamar de senhora. Por favor!

– Então vou chamá-la de você, como os catarinenses. Esse tu é meio difícil no começo.

Rafael localizou o trator pelo barulho. Estava numa baixada atrás do pequeno açude.

— Se vocês quiserem, cuidem do pão, que eu aviso a Ana.

Gisela hesitou por um momento. Mas logo recuperou a segurança habitual.

— Está certo. Mas você vai sujar os sapatos na lavoura.

— São uns tênis velhos, não se preocupe. Só vou me cuidar do cachorro Joli. O Willy me contou do susto que ele deu no padre.

Uma sombra passou pelo rosto sério de Gisela.

— *Joli ist leiden tot...* Desculpem. Ele morreu no ano passado. Estava muito velhinho. Vocês não falam alemão, não é?

— O vovô entende bem e fala um pouco. Ele é ótimo para aprender línguas. Quando fala espanhol, pensam que é uruguaio. Mas eu não herdei essa facilidade. O Willy tentou me ensinar um pouco de alemão. Ele passava todos os domingos conosco. Mas eu acho muito difícil.

— *Nein!* É uma língua muito racional. O agrônomo da Ascar já está falando bem direitinho. A Ana que ensina para ele. Mas vamos logo ver esse pão, antes que...

Rafael distanciou-se pela estradinha arenosa. De ambos os lados a terra era aproveitada integralmente. Sem plantar, havia apenas uma área pedregosa, na subida da montanha. O rapaz percebeu o vulto de um cavalo no meio dos arbustos. Deve ser a égua Pitanga. Se também não morreu. Impressionante como tudo é bem cuidado. Será que elas cuidam dessas lavouras sozinhas? Não vejo nenhum peão. Aquele telheiro com o muro em volta deve ser a pocilga. Mas não se sente cheiro de porco. Respirou fundo o ar perfumado. Já estava chegando na terra lavrada. O sol oblíquo tirava reflexos do metal do trator.

— Ei! Ana! Pode parar um momento?

O matraquear do motor engoliu a voz do rapaz. A moça de cabelos louros estava concentrada no trabalho. Era preciso esperar que se voltasse de frente. E apagasse o motor.

— Ana! Sou eu, o Rafael! Amigo do Willy!

– O Rafael de Alegrete? O que era soldado?
– Eu mesmo!
– Não é possível! Vou correndo para aí! Não entra na lavoura, que pode ter cobra!

Ana desceu agilmente do trator e veio saltando os sulcos de terra lavrada. Vestia calças Lee desbotadas e uma camiseta velha com emblema da Ford. Os cabelos louros, quase brancos, esvoaçavam leves sobre os ombros. Era esguia, mas não muito alta. Frente a frente com Rafael, seus olhos verde-esmeralda brilhavam de alegria.

– Posso... posso te dar um beijo? Que prazer enorme, Rafael! Tu és ainda mais bonito do que nas fotografias.

O rapaz recebeu os dois beijos no rosto e não teve tempo de retribuir. Ana afastou-se um pouco, para olhá-lo melhor.

– Foi o cabelo que mudou. Aquele corte de soldado é uma judiaria. O Willy ficava horroroso, o coitadinho do *Schatz*.

Rafael conseguiu falar.

– Eu também te conhecia por fotografia. Mas bem pequena. No meio da Gisela e da...

– Heidi. É a mais bonita de nós três. Mas não adianta ficar interessado. Ela é casada e tem dois filhos. O Willy deve ter te falado no Hans, o marido dela.

– O que é brigadiano?

– Isso mesmo. Foi promovido a sargento no ano passado. Eles estão morando em Santo Antônio da Patrulha. Tu passaste por lá, no caminho de Porto Alegre.

– Conheço bem. O vovô sempre compra rapaduras e o Zé Matungo adora uma tal cachaça azulzinha que tem lá.

– O Zé Matungo veio contigo? Fiz o Willy me contar mil vezes a história do cavalo 45...

– O Zé ficou em Torres. Quem veio comigo foi a Marcela.

Ana arregalou os olhos.

– A Marcela está aqui?! Por que tu não disseste antes?

– Ficou com a Gisela. Tirando pão do forno.

– Mas o que nós estamos esperando?! Vamos voando para casa! Há anos que eu sonho em conhecer a Marcela.

Entardecia rapidamente. Uma revoada de marrecos passou alto em direção à lagoa ltapeva. Rafael sentiu ciúme de Marcela.

– Será que eu poderia conhecer o moinho? Antes da noite? O Willy fala tanto nele que eu...

– Mas claro, Rafael! É bem pertinho. Tudo aqui é pertinho. Quando penso no tamanho da fazenda de vocês, chego a sentir vertigens.

– Por que tu não vais lá conosco? Estamos indo amanhã em dois carros. A Marcela ia adorar.

– Não posso ir agora, com tanto trabalho para fazer. Mas um dia eu vou te pagar esta visita. Te juro que vou.

Com a maior naturalidade, Ana pegou a mão de Rafael para mostrar-lhe o caminho. Mão áspera, mas do tamanho exato para acomodar-se na sua. O rapaz sentiu-se perturbado.

– Que idade tu tens, Ana?

– Dezessete anos. Represento mais?

– Não sei. Tu és tão diferente das... das gurias que eu conheço.

Ana virou-se para olhá-lo nos olhos. Mas não retirou a mão.

– Isso não é vantagem. O Willy me contou das tuas histórias no cabaré.

– O quê?

– Sei até o nome da mulher que dorme contigo. Uma que se chama Silvana.

Rafael sentiu um calor a lhe subir pelo rosto.

– Mas que alemão sem-vergonha. E ainda vai ser padre, o desgraçado.

– Não precisas ficar encabulado. O Willy só fala coisas boas de ti. Guardei o nome da moça porque a história me impressionou. O Willy me pediu para rezar por ela e pela Glorinha. Não precisas me olhar desse jeito! O Willy me conta tudo e eu conto tudo pra ele. Desde pequenos.

Rafael suspirou.

– Eu e a Marcela implicamos muito um com o outro. Mas na hora do perigo ficamos sempre do mesmo lado.

– Vamos logo, Rafael! Estou louca para conhecer a Marcela!

O moinho era maior do que o rapaz imaginava. Uma enorme roda de madeira carcomida. Ainda muito imponente sobre a base de pedras esverdeadas pelo limo. Vaga-lumes piscavam por entre os degraus. O ar era fresco e úmido. O ruído da água dava uma sensação de paz.

– Lindo, não é? Há mais de cem anos que ele está aí.

– Quem foi que construiu?

– O primeiro Schneider que chegou em Três Forquilhas. Um dia eu te conto a história dele. Era um homem alto e de barba loura. Forte como um touro. Contam que ele matou uma onça só com um machado. Mas isso eu não sei se é verdade.

– Ali deve ser a piscina do Willy...

– Amanhã vamos voltar para tomar banho. E pescar uns lambaris. O Willy ficou apaixonado pelo Ibirapuitã. Até me trouxe um vidro cheio de areia. Tem uma cor dourada. Diferente da nossa.

Rafael sentiu muita vontade de ficar.

– Infelizmente não posso, Ana. Temos que voltar para Torres agora mesmo.

– Bobagem... Eu vou falar com a Marcela e acerto tudo. Tu podes dormir na cama do Willy e ela na da Heidi. Vou ajudar a Gisela a fazer um jantar que tu nunca mais vais esquecer.

Noite fechada. Estão os quatro juntos na sala bem iluminada pelo lampião de gás. Sobre a mesa, as cartas de Willy que Marcela acabara de ler. O cheiro de pão quente agora é mais discreto. A moça sacode a cabeça, desanimada.

– Não posso, Aninha. Tu não conheces o nosso avô. Ele iria passar a noite em claro. Ou sairia a nos procurar por toda parte.

— E além do vovô tem o noivo dela. Que é um chato de galochas.

— Não implica, Rafael... Raramente na minha vida eu me senti em paz como me sinto aqui. Essas cartas me devolveram o Willy. E vocês duas são maravilhosas. Gostaria que fossem minhas irmãs.

Ana e Gisela se entreolharam, emocionadas. Marcela levantou-se e abraçou-as, mantendo um braço no ombro de cada uma. Rafael enxugou uma lágrima que lhe corria pelo nariz. Puta que os pariu, como diz o vovô. Acho que virei um banana. Só falta ir para o seminário com o alemão.

Uma hora da madrugada. Gisela está dormindo há muito tempo. Na escuridão do quarto, Ana arregala um pouco os olhos insones. Deitada de costas, faz desfilar na memória todos os fatos daquelas poucas horas. Tenta recordar com minúcias o rosto de Rafael. Os cabelos pretos anelados, com tons de cobre naquele entardecer. A testa larga. Os olhos castanhos dourados, iguais aos da Marcela. O nariz é bem desenhado, mas sem personalidade. Nariz lindo é o da Marcela. Parece dessas figuras da Palestina. Mas a boca do Rafael é maravilhosa, com aqueles dentes de artista de cinema. E o queixo quadrado dá uma impressão de força, de valentia. É só um pouco mais alto do que eu. Mas acho que me levaria no colo como um bebê. Deve viver sempre no campo, andando a cavalo e nadando naquele rio maravilhoso. Pedras negras e areia branca. Que vontade de conhecer o Ibirapuitã! Quero ir na areia baixa dar banho nos cavalos. Quero pescar jundiás no perau e conhecer o rincão das pitangueiras. Dali se enxerga o umbu grande. Onde nasceu o potranco Paraná.

Imediatamente, um outro rosto invadiu a mente de Ana. Um rosto mais maduro e mais sério. O cabelo também negro, mas liso e suave para acariciar. Os olhos castanhos sempre brilhantes. O nariz fino, o bigode a esconder a boca, o queixo partido. A explosão do riso cristalino. A voz cava, como a lhe brotar do fundo do peito. E as mãos inquietas, desenhando imagens para reforçar as palavras. Mãos esguias, de longos dedos. Mas fortes para dominar cavalos. Para erguer aos ombros os sacos pesados de milho. Para capinar as ervas que cresciam nos corredores estreitos das lavouras.

– Chega, sargento Bóris. O senhor não está aqui para trabalhar.

– Trabalhar na terra não é trabalho, Ana. Deixa a cabeça livre para pensar.

– E no que o senhor pensa tanto? Em alguma mulher?

Cessa o ruído abafado da enxada contra a terra fofa. Nasce outra vez o riso de menino. Ana não consegue tirar os olhos do torso suado. Da musculatura harmônica escondida sob a pele dourada de sol.

– Não precisa rir. É a coisa mais natural do mundo. Todo homem tem que gostar de uma mulher.

– Nem sempre a gente acha a mulher para gostar. E eu não tenho mais tempo para procurar. Aqui a minha vida é normal. Até me esqueço que sou um foragido. Um terrorista caçado por toda a polícia do Brasil.

– Não gosto quando fala desse jeito. É sinal de que já vai embora de novo.

– Tenho que ir, Ana. Os vizinhos sabem que vocês contratam safristas. Mas agora a colheita do milho acabou. E eu tenho que voltar a Porto Alegre. Tem gente lá que precisa muito de mim. Gente que também está lutando contra a ditadura. Aqui, no Rio, em São Paulo. Eu preciso voltar.

A enxada volta a bater na terra. Agora bem mais forte. Ana sente uma sensação de vazio dentro do peito. Quase um ano de espera pela sua volta. As notícias de prisões, de morte de terroristas. A fotografia escura no meio de muitas outras, no cartaz da rodoviária. Sem bigode, nem eu o reconheceria. Só porque o Willy me mostrou. Na volta de São Paulo, ele parecia muito mais velho. Trabalhava com a mesma energia, mas quase não falava. À noite, Ana subiu a escada do sótão com um copo de leite. Bóris desviou o rosto, mas não pôde esconder as lágrimas.

– O que aconteceu? Mataram algum dos seus companheiros?

– Mataram sim. O melhor de todos nós.

Só no outro dia, pelas notícias de rádio, Ana ficou sabendo da morte de Ernesto "Che" Guevara. A partir daquele momento um verdadeiro culto nas suas rezas, na sua consciência generosa. Passara a procurar e a ler todos os livros clandestinos sobre a Revolução Cubana. E Willy lhe conseguira um *poster* do comandante, contrabandeado do Uruguai. Mas na próxima visita Bóris rasgara a boina estrelada, o rosto de olhos tristes e barba rala. Quanto aos livros, rasgou-os e queimou-os um a um.

Ainda pensando em Bóris, Ana voltou a enxergar o rosto de Rafael. Se eu pudesse escolher, com qual dos dois eu ficaria? Riu de si mesma no escuro, virou-se de lado e adormeceu.

Porto Alegre
Inverno de 1970

A lancha desprendeu-se do cais e começou a varar as águas barrentas. Não fazia frio naquela manhã de junho. Mas o céu toldado ameaçava chuva. Em direção da proa, a cidade de Guaíba amontoava seu casario sobre a coxilha. Deixaram a boreste a boia vermelha que marcava as águas fundas do canal. Tudo calmo na superfície do rio. Flutuavam muitos aguapés trazidos pela enchente. O piloto mudou o rumo levemente para bombordo. A ilha de pedras arredondadas foi crescendo pouco a pouco no horizonte. Como um enorme punho com o indicador virado para a esquerda.

Dentro da lancha, o ronco do motor abafava o noticiário de rádio. Àquela manhã todo dedicado ao futebol.

"...impossível ainda realizar a entrevista com Everaldo. Mas para a satisfação de nossos ouvintes podemos confirmar que o lateral esquerdo do Grêmio tem sua escalação garantida para o jogo desta tarde contra a Esquadra Azzurra. Everaldo Marques da Silva, gaúcho de Porto Alegre, só tem razões para estar feliz. O Brasil ainda não conquistou o tricampeonato do mundo e ele já recebeu muitos prêmios, como um telefone para a sua casa e um Dodge-Dart novinho em folha. Mas isso não é nada comparado às alegrias que ele e seus companheiros vêm dando ao povo brasileiro. Nossa seleção conquistou o coração do povo mexicano. Em..."

– Levanta mais esse rádio! Quase não ouço nada!

O piloto liberou a mão direita da direção e torceu o botão ao máximo.

"...nota-se nas ruas, nos bares, em todas as entrevistas com populares uma tendência geral em torcer pelo Brasil. Qualquer criança sabe de cor a escalação da seleção brasileira, que, aliás, foi confirmada há poucos minutos. Alegando estar afônico, o técnico Zagalo recusou-se a dar entrevistas.

Mas autorizou um porta-voz a confirmar que a equipe para o jogo decisivo contra a Itália será a mesma que derrotou o Uruguai na última quarta-feira. Se não houver nenhum percalço de última hora, a seleção canarinho estará pisando o gramado do Estádio Asteca com os seguintes jogadores: Félix, Carlos Alberto, Brito..."

– Levanta mais esse rádio, sua mula!

– Tá no máximo do volume, seu Pedro.

– Pois então apaga o motor desta merda!

O piloto desligou o motor e a lancha parou de chofre. Estavam bem próximos da ilha do presídio. Apenas a voz do locutor quebrava o silêncio do rio.

"...Pelé e Rivelino. Para alegria do povo brasileiro, nossa seleção entrará em campo com sua força total. A corrente pra frente que..."

Uma rajada de metralhadora estalou forte do lado da ilha. Todos se abaixaram dentro da lancha. O homem louro, que gritara com o piloto, ergueu a cabeça, vermelho de raiva.

– Liga essa merda outra vez! Esses idiotas vão acabar nos acertando!

O motor pegou de primeira. O homem louro virou-se para o seu companheiro no banco da frente. Também vestido de terno e gravata.

– Esses veados passam o dia atirando nos aguapés.

Um dos guardas atreveu-se a perguntar, com cautela:

– E... pra que, doutor delegado?

– Acham que o Lamarca pode vir nadando atrás dum capim desses, para assaltar o presídio.

O sorriso do delegado extraiu gargalhadas da plateia. A lancha aproximava-se lentamente da ilha. O piloto desligara o rádio. Ergueu a mão direita e respondeu aos acenos do pessoal da casamata. Abriu um pouco a curva para boreste e se preparou para entrar na passagem estreita que levava ao trapiche. Manobra perigosa para quem não conhecesse o lugar. Mais de uma lancha tinha avariado o casco nas pedras submersas. O piloto desligou o motor e atirou um cabo para terra. O guarda de capote recolheu-o e atou-o na extremidade do cais.

– Tudo bem por aí?
– Tudo em paz, graças a Deus.
– Não precisas amarrar outro cabo! A demora é pouca.

Os dois homens de terno e gravata saíram da lancha e começaram a subir a rampa em direção ao prédio pintado de branco. O piloto espreguiçou-se e respirou fundo. Cheiro de óleo diesel, lodo e excremento humano. Mas o marinheiro estava acostumado. Os subalternos aproveitaram a folga para amolecer o corpo. A fumaça dos cigarros foi subindo no ar parado. Cada um dos quatro guardas firmava entre os joelhos uma carabina calibre doze de cano serrado.

– Liga o rádio de novo pra nós.

O piloto levantou o polegar e torceu o botão. Ouviu-se o som de um samba muito conhecido.

"...no morro... não sabe nem em que data... até pensava que a lua... pendurada no céu... fosse um pandeiro de prata... fosse um..."

– Passa pra outra rádio! Hoje o que interessa é futebol.
– Deixa o sambinha que tá bom!
– Nada disso! Vamos saber mais sobre o jogo.

Mais uma girada no botão da sintonia.

"...com nossa reportagem diretamente da Cidade do México, gentileza de Coca-Cola, o refrigerante da família brasileira! Simbora Brasil! Hoje é finalmente o grande dia! A poucas horas do jogo, o ambiente é calmo na concentração da seleção brasileira. A mensagem do presidente Médici foi recebida com seriedade pelos jogadores e dirigentes. Todos estão conscientes de que o Brasil precisa do título. Nosso prestígio entre as nações do mundo foi abalado pela derrota de 1966, na Inglaterra, depois de havermos vencido com brilhantismo as copas de 1958, na Suécia, e 1962, no Chile. Daquela vez o ambicionado tricampeonato do mundo escapou de nossas mãos, o que hoje, contra a Itália, dificilmente acontecerá. Jornalistas mais experientes comparam o ambiente tranquilo que reina entre nossos jogadores e dirigentes na Cidade do México com a euforia do já-ganhou que dominava a todos na fatídica manhã de 16 de julho de 1950, quando havia até jornais impressos noticiando a vitória da seleção brasileira. Naquela ocasião, o Brasil foi derrotado pelo excesso de otimismo e pela valentia dos uruguaios de Máspoli e Obdúlio Varella. Mas a lição nos foi de grande valia. O técnico Zagalo, que era soldado da polícia militar do Rio de Janeiro naquele fatídico 16 de julho, lembra que chorou a derrota e prometeu vingança. Pelé tinha apenas nove anos e..."

– Desliga o rádio! Aí vêm os home!

Os prisioneiros descem com dificuldade o caminho acidentado, estimulados pelos canos das armas. Um enorme aparato policial fora montado entre a porta ovalada do velho presídio e o pequeno cais de pedras irregulares. Metralhadoras e carabinas apontavam para os dois homens sujos e maltrapilhos. Presos um ao outro por algemas que se apertavam a qualquer movimento brusco. Os olhos vermelhos fixos nos pés calçados com sapatos sem cadarço. O mais alto e magro tinha cabelos enxovalhados e um grande bigode de pontas caídas. O mais baixo era louro e sardento. Mais de perto, percebia-se que o alto e magro trazia o braço esquerdo engessado, apoiado numa tipoia de pano sujo. Ambos tinham manchas roxas no rosto e nos braços.

– Como fedem esses filhos da puta!

– Se o senhor quisé, dotor, nós damo um banho neles no Guaíba.

– Não é preciso. Podem subir na lancha! Lá no DOPS tem chuveiro quente e sabonete perfumado.

O carcereiro riu alto e foi logo imitado pelos que estavam a bordo. Com cara de nojo, dois guardas ajudaram os prisioneiros a entrar na embarcação. Num repelão que sacudiu a lancha, foram obrigados a sentar no tabuado de ripas, as costas contra a borda metálica. Os dois policiais voltaram a ocupar o banco da frente, ao lado do piloto. Desatracada a lancha, o marinheiro consultou o delegado com um olhar interrogativo.

– O que tu estás esperando? Liga essa bosta e vamos embora!

O motor roncou novamente. Em marcha à ré, saíram lentamente da área perigosa. O piloto grisalho conduzia com todo cuidado. Contornaram as pedras redondas da casamata norte e embicaram no caminho de volta.

As águas cor de café com leite continuavam tranquilas. Todo o horizonte era tomado pela cidade de Porto Alegre. Desde a chaminé do Gasômetro, lá longe junto ao porto e ao aglomerado de edifícios, até a praia de Ipanema, a vista em leque era perfeita. Nuvens escuras ainda corriam altas no céu. O prisioneiro sardento baixou a cabeça e cochichou com o companheiro.

– Ainda bem que o rio está calmo. Eu enjoo com qualquer balanço.

– Essa calma não vai durar muito. Esses dois delegados são os maiores torturadores do DOPS.

– O louro não tem muita cara de bandido.

– Mas foi ele que me quebrou o braço.

– Vamo calá a boca aí! E tu, liga esse rádio e não acelera a lancha. Quero ouvir um pouco de futebol.

O delegado moreno resmungou entre dentes:

– Num dia como hoje ninguém devia trabalhar...

– A culpa é do Fleury. Ele telefonou que vai mandar o Pudim buscar estes dois amanhã. Mas desta vez aquele desgraçado não vai me passar a perna. Tu vai achá ou não vai essas notícia de futebol?

O piloto seguiu mexendo no botão do rádio, os olhos fixos nas águas do rio. Mesmo em marcha lenta, a hélice poderia prender-se nas redes dos pescadores.

"...recordando cenas de grande emoção ocorridas na despedida de Guadalajara."

– Deixa aí mesmo, que está bom!

Todos os jogadores da seleção partiram saudosos de Jalisco, onde a torcida mexicana identificou-se para sempre com o futebol brasileiro, feito de arte, genialidade e malícia. Mas é lógico que foi Edson Arantes do Nascimento, nosso inigualável Pelé, o jogador que mais apaixonou a torcida de Guadalajara. E no momento da despedida, quando todos tinham as mentes voltadas para a grande decisão de hoje contra a Itália, Pelé renovou seu compromisso pessoal com as crianças sofredoras, como já o tinha feito no dia do seu milésimo gol. O Rei do Futebol concedia uma entrevista à imprensa mundial quando viu aproximar-se, apoiando-se com dificuldade num par de muletas, o menino mexicano Antonio Barajas Gonzales, de doze anos de idade. Pelé abandonou a entrevista que vinha sendo traduzida em três idiomas e aproximou-se do garoto com um largo sorriso. Antonio contou então a Pelé que quebrara as duas pernas em um acidente de automóvel quando se dirigia ao estádio Jalisco. Mas assim que consegui movimentar-me, disse ele, vim conhecer você. Emocionado até às lágrimas, Pelé autografou uma das muletas e...

Um guarda segredou a seu colega mais próximo:

– Essas histórias do Pelé me deixam arrepiado.

– Pra mim, ele ainda vai ser presidente do Brasil.

O locutor prosseguia em sua ladainha. Num sussurro, o prisioneiro sardento perguntou ao companheiro:

– Tu gostarias que o Pelé autografasse o teu gesso?

O homem controlou os dois delegados com um rápido olhar e sorriu sob o bigode que disfarçava os lábios inchados.

– Era melhor que fosse o Marighella. Mas já acabaram com ele.

No velho cais da Assunção, o transbordo dos prisioneiros foi feito com o mesmo aparato. Com as carabinas cutucando as costas, foram levados para dentro do camburão. A porta traseira fechou-se com estrondo. Escuridão. Ruído de passos apressados. A voz abafada do delegado louro:

– Vamos sair pela rua do Veleiros e passar por detrás do Cristal. Nada de sirenes! Quanto menos se chamar atenção do povo, melhor!

Cheiro forte de vômito e gasolina. Sozinhos dentro do cubículo, os prisioneiros acomodaram-se bem juntos. A cada solavanco as algemas penetravam mais nos pulsos machucados. Mas a dor era compensada pelo prazer de falar livremente.

– O que tu achas, Bóris? Para onde eles vão nos levar?

– Para o DOPS. Se fosse para a PE, teriam nos passado para uma viatura militar.

– É estranha toda essa pressa. Normalmente eles não torturam nos domingos. E ainda por cima, daqui a pouco é a decisão do futebol.

– Tu não ouviste o delegado? Ele disse que o Pudim vem nos buscar amanhã.

– Quem é esse?

– Ora, Willy, é o braço direito do delegado Fleury.

– Então nós vamos para São Paulo?

– Mas não agora. Primeiro eles vão nos machucar bastante. É um desafio ao machismo gaúcho. Eles querem nos arrancar tudo que puderem antes dos paulistas.

Foguetes espoucavam regularmente. Uma curva fechada para a direita atirou os prisioneiros contra a lataria. A caminhonete aumentou a velocidade numa descida. Bóris conseguiu firmar as pernas compridas e ajudou Willy a acomodar-se. Agora conseguiam ver melhor na obscuridade.

– Bóris, eu tenho uma coisa para te pedir.

– O que tu quiseres, Willy. Tudo que eu puder fazer nestas condições.

Willy fixou no amigo os olhos claros e serenos.

– Se tu fores torturado outra vez, não deixa que eles te quebrem demais... Confessa alguma coisa. Qualquer coisa que eles já saibam.

– Eu não consigo falar, Willy. Não é por valentia, eu te juro. É por nojo que eu tenho desses covardes. Numa... numa guerra de verdade eles seriam os primeiros a correr. Eu sei que os militares também torturam. Mas eu vou morrer sargento do Exército, Willy. Não sei se tu me entendes.

– Acho que sim. Mas desta vez tu precisas confessar. Nada que...

O camburão fechou outra curva forte, derrubando os prisioneiros no chão imundo. Desta vez a dor dos pulsos arrancou gemidos de ambos. Olharam-se e sorriram. A viatura corria outra vez em linha reta. Levantaram-se com dificuldade e buscaram a posição anterior. Bóris tentou localizar a rua por uma fresta da lataria. Percebeu um carro todo enfeitado de fitas verdes e amarelas. Ouviu nítido o bater do sino de uma igreja.

– Acho que ainda não estamos na avenida Ipiranga. Se eles não furarem todas as sinaleiras, ainda temos uns minutos para falar.

E olhando firme nos olhos do companheiro:

– Vou fazer seu desejo, padre. Vou me confessar.

Entendendo de imediato o alcance daquelas palavras, Willy sentiu um arrepio percorrer-lhe o corpo. Com as mãos algemadas, não podiam fazer o sinal da cruz. Mas ajoelharam-se lado a lado, arriscando cair a qualquer momento.

– Em nome do Pai, do Filho e do Espírito Santo.

– Padre, dai-me a vossa bênção porque pequei.

– Há quanto tempo não se confessa, meu filho?

– Há uns... sete anos. Na páscoa dos militares.

– Vamos rezar juntos a sua preparação. Repita mentalmente as minhas palavras. Não me envergonharei de confessar os pecados que não tive pejo de cometer. Farei de conta que os confesso ao meu Deus...

Nova curva feita num ranger de pneus. Nova queda. O tempo urgia. Levantaram-se e Willy prosseguiu a reza:

– ...ao meu Deus que os conhece e sabe que os cometi. Confesso-os ao meu companheiro de infortúnio que me proporcionará o bálsamo que necessito. Confesso-os a meu Pai amoroso, que está esperando com os braços abertos a seu filho oferecendo o perdão.

Bóris recordou o antigo "aparelho" do Rio de Janeiro. A imagem de Cristo com os braços abertos. Concentrou-se outra vez nas palavras de Willy.

– Confesse seus pecados, meu amigo. Mas tão baixo que sejam ouvidos só por Deus.

A voz cochichada do ex-sargento foi interrompida pela freada brusca do camburão. Rapidamente, a tampa traseira foi aberta e a luz feriu os olhos dos prisioneiros.

– O que estão fazendo tão juntinhos?
– Sempre achei que esse padre tinha cara de puto...
– Chega de conversa! Tirem logo esses veados pra fora!

A rápida visão de um pátio com alguns carros. A parede interna de um prédio com muitas janelas.

– Enfiem logo um capuz na cabeça deles!

Escuridão azulada atrás do pano sujo. Willy continuava rezando mentalmente pela absolvição do amigo.

– Vocês dois levem o padreco até o escritório! O Cabrini vai direto pra fossa... E abram essas algemas, seus burros!

Willy mal conseguiu esfregar os pulsos doloridos. Aos empurrões, foi caminhando às cegas, até tropeçar num degrau. Subiu a escada lutando para manter os sapatos nos pés. Mais alguns passos. O ranger de uma porta. Uma mão firme a lhe puxar o braço.

– Senta aí e fica quieto!

O padre sentou-se e sentiu a poltrona afundar. Cheiro de cigarro e café. Foguetes espoucando ao longe. Buzinas bem mais próximas. Alguns passos macios e uma voz calma bem do seu lado.

– Pode tirar o capuz, padre Schneider.

Com mãos descoordenadas, Willy tirou o capuz da cabeça. Esfregou os olhos vermelhos e contemplou o homem sentado à sua frente. Parecia recém-saído do banho. Terno azul-marinho, camisa azul-clara e gravata bordô. Rosto bem barbeado. Óculos de lentes claras. Cabelo castanho penteado para trás.

– Bom dia, senhor.

– Bom dia. Ainda é muito moço, padre Schneider.

– O senhor também.

– Meu nome é Roberto. Sou assistente do diretor do DOPS.

– Muito prazer.

– Lamento nos encontrarmos nessas circunstâncias. Quer um cafezinho?

– Não, obrigado.

O policial puxou do bolso uma carteira de Minister e ofereceu um cigarro.

– Obrigado, não fumo.

– Gostaria que ficasse mais à vontade. Eu pertenço a uma família de tradição católica. Tenho até um tio na Itália que é padre. Mas ainda usa batina.

Willy conhecia a técnica do interrogatório bonzinho. Seus olhos claros percorreram rapidamente a peça. Escritório comum de repartição pública. Paredes descascando. Móveis antigos. Papelada sobre as mesas. Velhas máquinas de escrever.

– Eu também gosto da batina. Mas acho certo não usar mais.

O policial aproximou seu rosto. A expressão amistosa.

– Para mim, perde um pouco a seriedade. É como um militar sem farda.

– O senhor é da polícia civil, não é? E para mim parece muito sério.

Tomado de surpresa, o jovem fechou a cara, mas logo sorriu.

– Explique melhor por que não usa mais batina. É um detalhe importante, pode ter certeza.

Willy engoliu o suspiro. Continuavam a estourar os foguetes. E carros a passar buzinando. As janelas altas deviam dar para a avenida Ipiranga.

– A Igreja mudou muito nos últimos anos, doutor Roberto. Depois do papa João XXIII...

– ...que eu admiro muito, por sinal.

– ...e hoje de Paulo VI, a maioria de nós fizemos a opção pelos pobres. E os pobres representam 90% da população da América Latina.

O policial acomodou-se melhor na poltrona e acendeu um cigarro.

– Acho que o senhor está sendo injusto com os padres antigos. Os pobres sempre tiveram a misericórdia da Igreja. Desde pequeno que vejo meu pai colaborar com obras religiosas, asilos, orfanatos.

Willy olhou para a garrafa térmica sobre a mesinha baixa. Estava em jejum desde o dia anterior. Sentia-se tonto, mas estimulado pela conversa.

– Quer um cafezinho, padre Schneider? É claro que quer... Posso também mandar buscar um sanduíche.

– Não é preciso, basta o café. Está bem assim de açúcar.

Para sua surpresa, o café ainda estava quente. Bebeu-o com os olhos semicerrados e sentiu-se melhor.

– O senhor está me devendo uma resposta, padre Schneider.

– Sim... Sobre a opção pelos pobres. Depois do Concílio Vaticano II, a Igreja da América Latina resolveu lutar contra a pobreza. Foi por isso que os padres e bispos tornaram-se mais simples e despojados. Despiram as roupas dos santos para vestirem roupas comuns.

– Agora eu entendo... Para misturar-se com o povo. Mas o povo não é feito só de pobreza. A religião não pode discriminar os que venceram na vida.

Willy passou a mão direita pelos cabelos revoltos.

– Nossa opção pelos pobres é preferencial, não exclusiva. A Igreja é como uma mãe que ama todos os seus filhos, mas dá preferência àquele que está doente.

O policial mudou de posição na poltrona.

– Para mim, vocês não estão tratando os ricos como irmãos. Muito pelo contrário. Assaltam bancos. Sequestram pessoas inocentes.

— Nós não combatemos as pessoas dos ricos, mas sim os mecanismos políticos, a ditadura que fabrica mais ricos à custa dos pobres.

— O senhor é... marxista, padre Schneider?

Willy suportou o olhar duro com serenidade.

— Se o senhor se refere aos livros que encontraram no meu quarto, não irei negar que li Marx e...

— ...e que é um admirador do Che Guevara.

— Da mesma forma que admiro o padre Camilo Torres, assassinado na Colômbia pela mesma gente que aqui nos prende e tortura.

— Eu nunca torturei ninguém, padre Schneider. Aliás, estou lutando para que o senhor não seja mais submetido à violência. Para nós, a lei maior é a Segurança Nacional. Nós ainda temos a consciência da Pátria, ainda pensamos em verde e amarelo. E se o senhor vier até a janela, verá que o povo está conosco. O futebol conseguiu despertar o patriotismo do povo.

— O futebol é o ópio do povo... Se o Brasil vencer o jogo desta tarde, o general Garrastazu Médici vai consolidar seu poder.

— O que será ótimo para o Brasil! Imagine se o povo descobre que vocês terroristas querem que a seleção perca o tricampeonato. Invadiriam a cadeia para linchá-los um por um.

Willy baixou os olhos. Surpreendeu-se com os sapatos sem cadarços e sujos de lama. O ridículo da situação assaltou-o de imediato. Ergueu os olhos azuis aguados e fixou-os no rosto do policial.

— O que quer de mim, doutor Roberto?

O policial fungou duas vezes e ajeitou os óculos sobre o nariz.

— Eu não o considero um criminoso, padre Schneider. Apenas, talvez, um inocente útil. Mas o senhor anda brincando com fogo. Seu envolvimento com Frei Beto foi provado quando invadimos o seminário do Cristo Rei. Naquela ocasião, nós já sabíamos que o senhor ajudara a esconder terroristas e levá-los para o Uruguai. Não o prendemos porque tínhamos conhecimento dos seus contatos com Bóris Cabrini e preferimos vigiar todos os seus movimentos. Agora que os dois estão presos, nós queremos chegar ao chefe de vocês. A sua segurança física e até mesmo a sua liberdade dependem apenas de umas poucas palavras. Sua confissão ficará somente entre nós. Diga-me apenas... como chegar ao Capitão Lamarca.

— Eu não o conheço. Nunca o vi.

— O senhor está mentindo, padre. O Cabrini é o chefe da VPR no Rio Grande do Sul e o senhor é seu amigo e protetor. Mas o Cabrini tem treinamento militar e dificilmente nos dirá a verdade. Até para o Fleury acho que ele não cederá. Mas vai acabar morrendo por sua culpa. Morrendo para defender um desertor, um traidor sujo e covarde como o Lamarca. Só o senhor pode salvar o Bóris Cabrini. A vida dele está nas suas mãos.

Willy baixou a cabeça e apoiou as mãos espalmadas sobre os joelhos. A tontura voltara ainda mais forte. Estava há muitas horas sem comer.

— Eu não sei onde está o Capitão Lamarca. Não posso fazer nada.

— Mas eu posso, padre Schneider. E vou fazer.

O policial levantou-se e caminhou até a escrivaninha mais próxima. Pegou uma pasta 007 e acionou-lhe o trinco. Retirou alguns papéis e voltou com eles na mão até a poltrona. Sentou-se, cruzou as pernas e começou a ler.

— Em cumprimento ao despacho confidencial de Vossas Senhorias e após consulta a nossos superiores, confirmamos a prisão efetuada no dia de hoje do sargento PM Hans Dieter Pfeifer, sua mulher Heidi Schneider Pfeifer e suas cunhadas Gisela e Ana Schneider. Aguardamos instruções do DOPS sobre o destino a ser dado às pessoas detidas e de que forma devemos instaurar o inquérito policial militar.

Roberto suspendeu a leitura e sorriu, saboreando o susto no rosto do padre.

— Como pode ver, o destino de sua família está em nossas mãos. Ou melhor, nas suas mãos, padre Schneider. Reconheço que o relatório que acompanha este ofício traz elogios ao sargento Hans e não reconhece nenhuma atividade subversiva à sua esposa... Heidi. Mas suas outras irmãs Gisela e Ana são notórias ativistas da VPR. A mais jovem, principalmente, tem feito comentários e até pregações contra a Revolução de 64 na escola onde frequenta o curso de madureza. Já sabíamos das diversas vezes que elas albergaram Bóris Cabrini no sítio do moinho e bastaria isso para incriminá-las.

Willy estava pálido. A voz insegura.

— A culpa é toda minha. Elas não sabiam de nada. O Bóris nasceu no campo e gosta de trabalhar na lavoura. Elas viviam sozinhas e contratavam safristas para os trabalhos mais pesados. Eu mandei o Bóris para trabalhar. Elas não sabiam que ele era... que ele lutava contra a ditadura.

— Pode usar a palavra *terrorista* com a mesma segurança como usa a palavra *ditadura*! Mas não irá convencer ninguém da inocência das suas irmãs. A sua família ainda vai sofrer muito. Até as crianças, os seus sobrinhos, que estão sem a mãe. Por enquanto, uma vizinha está cuidando deles. Depois, serão entregues ao Juizado de Menores. O sargento seguramente vai ser excluído da Brigada. As suas irmãs serão trazidas ao DOPS para interrogatório e...

— Isso não! Pelo amor de Deus...

Roberto levantou-se e caminhou outra vez até a escrivaninha. Guardou os papéis dentro da pasta preta e acionou-lhe o segredo. Willy seguia atento a todos os seus movimentos. De pé diante dele, o policial amaciou a voz:

— Quando olho sua aparência desregrada, sua barba por fazer, seu cabelo sujo, penso em como tudo poderia ser diferente. Hoje é domingo, padre Schneider. Dia de rezar missa com a igreja cheia e almoçar tranquilamente na casa de um paroquiano. O senhor é um jesuíta. Pertence a uma ordem extremamente disciplinada e culta. Nada a ver com esses dominicanos decadentes e comunistas.

Willy surpreendeu-se ao ouvir a própria voz:

– Os jesuítas já foram todos expulsos da América Latina por defenderem os índios contra os colonizadores.

– Mas voltaram e aprenderam a lição... Está bem, padre Schneider, não vamos mais discutir nenhuma teoria. O senhor me deve uma resposta. Dou-lhe a minha palavra de honra que toda a sua família será liberada se o senhor nos der uma simples pista, um ponto qualquer de encontro que nos leve ao Lamarca.

Willy baixou a cabeça e balbuciou:

– Mas eu não sei nada. Juro que não sei.

Roberto olhou para o relógio. Meio-dia e vinte minutos. Respirou fundo e não escondeu a irritação da voz.

– Está bem, padre Schneider. O senhor deve ser um homem que acredita no livre-arbítrio. A escolha foi sua. Ponha de novo o capuz.

O policial levantou-se e caminhou até a porta. Abriu-a e atravessou o corredor até o escritório em frente. Ali o mobiliário era mais novo, todo em tons de branco. Sentado comodamente numa poltrona, o delegado louro lia uma revista em quadrinhos. Ao ver entrar o colega, ergueu as sobrancelhas, numa indagação muda. Roberto fez que não com a cabeça, sentou-se e acendeu um cigarro.

– O padrezinho é comunista até a raiz dos cabelos. Mas é crente também. Tem cultura religiosa e histórica.

– Baboseiras! Eu quero saber se ele vai ou não vai entregar o Lamarca. O Bóris faz uma hora que está apanhando no pau de arara e não abriu o bico nem pra gemer, o filho da puta.

– Como é que vocês botaram ele no pau de arara? E o braço engessado?

O delegado sorriu.

– O Nilo quebrou o gesso a marretadas. Amanhã o médico vem e faz outro, se ainda for preciso. E o padreco? Acha que ele vai cantar?

— Acho que sim. Ele é apaixonado pela família, principalmente pelas irmãs solteiras. Acho bom trazer as duas de Santo Antônio o quanto antes.

O delegado levantou-se e jogou a revista sobre a mesinha baixa.

— Vou telefonar para lá agora mesmo. Vamos foder as duas irmãs na frente dele e quero ver se o padre aguenta a mão.

— Vai com calma, Pedro. Não te esquece que o governo não quer mais problemas com o cardeal. O ano passado ele já esteve aqui no DOPS e nos criou um baita caso com o Piratini.

— Olha aqui, Roberto, pra pegar o Lamarca antes dos paulistas eu boto até o papa no pau de arara. Não vai ser um cardeal de merda que vai me impedir.

— Eu estou falando sério, Pedro!

— Eu também... Até que o nosso cardeal não é dos piores. Eu tenho ganas é daquele de São Paulo, o tal de Arns.

— Pois eu, se fosse o Médici, mandava prender na hora o Dom Hélder Câmara. Para mim ele é o cabeça de toda essa subversão da Igreja.

— Que merda!

— O que foi agora?

— Não consigo que o 101 atenda! Esse pessoal da CRT deve estar todo em casa esperando o futebol. Também... já é quase uma hora. Queres almoçar com a gente? Mandei trazer umas pizzas para nós.

— Não, obrigado. O meu trabalho já terminou e eu quero ir para casa ver o jogo. A minha televisão nova já chegou. Quem sabe tu queres ver a partida conosco? Leva a tua mulher e as crianças.

— Não vai dar, Roberto. Vou ouvir no rádio por aqui mesmo. O Fleury já levou toda a fama na morte do Marighella. Agora é a nossa vez.

Duas e meia da tarde. Na sala de tortura apenas uma luz forte ilumina o prisioneiro. Bóris está pendurado no pau de arara. Com os braços e pernas amarrados, parece um bicho magro enfiado no espeto. As extremidades do pau, que passa entre seus membros, estão apoiadas entre duas mesas. Fios elétricos enrolados nos pés e nos testículos. Cheiro de carne queimada. Novos hematomas pelo corpo nu. A cabeça está caída para trás. Dois filetes de sangue escorrem pelas narinas.

– O filho da puta desmaiou outra vez! Pode ligar o rádio.

– Sim senhor, seu Pedro.

– E tu vai buscá o padreco! Tá na hora de dá um pau nele também.

O delegado estava escabelado e ofegante. Sem paletó e gravata. A camisa branca respingada de sangue. Puxou uma cadeira para junto do rádio e acendeu um cigarro. Os auxiliares chegaram mais perto. Atentos às palavras emocionadas do locutor.

"...microfone anuncia o número 10 de Pelé. Vamos ver como reage o público... Reparem a ovação do público mexicano para o maior jogador de futebol de todos os tempos! O número 10, Pelé do Brasil! Ouvem a Rede Brasileira dos Esportes comandada pela Rádio Guaíba de Porto Alegre e Emissora Continental do Rio, com Rádio Jornal do Brasil do Rio, Rádio Diário da Manhã de Florianópolis, Rádios Metropolitana, Vera Cruz e Carioca do Rio, Alvorada de Brasília, Independência e Monte Carlo de Montevidéu, Atalaia de Belo Horizonte, Universidade do Rio Grande do Sul e mais centenas de emissoras espalhadas por todo o Brasil! Já foi sorteado o lado. O time do Brasil vai ficar à esquerda das cabines de rádio do estádio Asteca. Consequentemente a Itália ficará à direita. Camisas azuis, calções brancos, meias também azuis. O selecionado brasileiro com sua indumentária normal. Camisetas amarelas, calções azuis, meias brancas. Estamos nos aproximando do início da mais sensacional partida de futebol dos últimos tempos! Atenção! Saída para o time da Itália. Ainda há gente estranha dentro do terreno.

O juiz pede para que se afastem. Estão saindo agora. O juiz é alemão da Alemanha Oriental. Atenção! Vai começar a partida com saída para o time da Itália. O juiz ainda está olhando o seu relógio. São exatamente quinze horas no Brasil, meio-dia no México. Iniciada a partida! Saída para o time da Itália, bola retardada para Bertini atacado por Pelé, entra e corta Clodoaldo! O Brasil tem a bola pela primeira vez com Tostão, Tostão para Gerson, Gerson vai tentar o lançamento, lançou boa bola para Pelé, Pelé cai no terreno, o juiz não marca a falta e a nós também parece que houve exagero da parte de Pelé. Arremesso de lado para a Itália, o Brasil recupera a bola, Tostão está lutando bravamente contra o lateral Burnichi da Itália. Burnichi recupera a bola. Avança pela intermediária brasileira. Passa para Mazzola, Mazzola avança e passa para Gigi Riva, que bate forte e Félix espalma para escanteio! Um tiro impressionante do ponteiro esquerdo Gigi Riva que obrigou Félix a dar um tapa sensacional para escanteio! Como ganhar dinheiro sem fazer força? E só jogar na Loteria Esportiva. A Loteria Esportiva já foi lançada para você ganhar muitos milhões. Prepara-se..."

– Baixa esse rádio! Olha a cara de imbecil do padreco. Parece que já vai chorar.

Willy contemplava o estado miserável de Bóris. O ex-sargento parecia morto. O padre começou a soluçar.

– Isto aqui é brinquedo de homem, seu filho da puta, covarde! Tirem a roupa desse padre e ponham na cadeira do dragão... Vamos ver se uns choques na bunda não fazem ele cantá.

– E... o jogo, seu Pedro?

– Tu pode ficá perto do rádio escutando baixinho. Se tiver perigo de gol, tu levanta o volume.

Um inspetor arrancou a camisa de Willy. O delegado aproximou-se e gritou-lhe no ouvido:

– Telefone pra ti!

Com as mãos espalmadas, bateu-lhe com toda a força nos ouvidos. O jovem caiu de joelhos. O delegado deu-lhe um pontapé nas costelas. O padre caiu de boca no chão.

— Este merda é fraco demais! Puxa as calças e as cuecas dele. Vamos começar enfiando uma mangueira no rabo. Encher os intestinos de água.

— Mas ele vai cagar toda a sala, seu delegado.

— E daí? Cagar desmoraliza esses filhos da puta... Como é que tá o jogo, Nilo?

— Tem falta para o Brasil.

— Levanta o volume! Vocês dois segurem firme o padre. Isso! Dá outro soco na boca do estômago! Papa-hóstia de merda!

"...e falhou a defesa italiana! É uma falta maravilhosa para o Brasil! Vamos consultar o relógio, cinco minutos de luta da primeira etapa. Agora é Pelé que vai cobrar, ou não? Zero a zero Brasil e Itália. Preparando-se Pelé para cobrar. Rivelino também está perto da bola. O árbitro autoriza, parte para a bola Pelé, corre também Rivelino, a bola passa alto pela linha de fundo! Pelé passou pela bola em jogada ensaiada, mas foi Rivelino quem chutou. A barreira italiana não se mexeu. Agora é a Itália que parte para o ataque..."

— Podemos continuar ouvindo o jogo delegado?

— Claro, claro! O major Attila tortura esses putos ouvindo Beethoven. Nós somos do povão... O que é que vocês dois estão esperando? Botem logo o padre na cadeira!

Willy foi arrastado a socos e pontapés até uma cadeira de metal. Tipo barbeiro. Sob o olhar atento do delegado, os inspetores foram amarrando seus braços com correias revestidas de espumas e aplicando-lhe outras placas de espuma pelo corpo nu. O rapaz não reagia, mas também não chorava. Sangue com saliva escorrendo pelas comissuras dos lábios. Sempre gritando e batendo, os torturadores foram amarrando fios elétricos nos pés, nas mãos e no pênis do prisioneiro. Uma travessa de madeira empurrava as pernas para trás. A primeira descarga elétrica fez o corpo saltar para a frente e voltar à posição normal numa tremedeira que fazia bater os dentes. Willy dominou-se para não gritar. O delegado aproximou-se e pegou-o pelos cabelos. Torceu-lhe a cabeça e aproximou a brasa do cigarro dos olhos.

– Onde é que o Cabrini encontra o Lamarca? Em que aparelho?

– Não... sei.

– Tu sabes que nós prendemos as tuas irmãs?

– Se... sei.

– Pois se tu não falá, nós vamos trazer as duas até aqui. Primeiro a loirinha, a Ana. Ela deve ser virgem, a puta. E sempre tem uma loura nos assaltos de vocês. Vai sê fácil botar a culpa nela...

– Por favor... Não façam nada com... ela. Eu...

– Tu o que, seu filho da puta? Diz logo onde o Cabrini encontra o Lamarca, se não nós vamos rebentar a buceta da tua irmãzinha aqui na tua frente!

– Eu juro que não sei... Juro por Deus Nosso Senhor.

– Tu pensa que eu acredito em juramento de padre? Dá mais um choque nesse puto! Aumenta a voltagem!

O grito lancinante de Willy misturou-se a outro grito maior que sacudiu todo o Brasil.

"Gooooooooooolllllllllllll!Goooooooooooooooo-ooolllllllllllllllllllll! Gooooooooooooooooooolllllllllllllllllllll de Pelé para o Brasil! Goooooooooooooooooolllllllllllllllllllllll do Brasil!"

Os torturadores pulavam de alegria. O delegado pegou uma garrafa de uísque e bebeu um longo gole no gargalo. Willy respirava com dificuldade. Os olhos arregalados. Uma fumaça azul brotando dos cabelos.

"...sen-sa-ci-o-nal de Pelé! Um golpe seco de cabeça para baixo. Está aberto o placar no estádio Asteca! Agora são dezoito minutos da primeira etapa! Brasil um, Itália zero! Na grande decisão da Copa do Mundo! Pelé pulou mais alto para o Brasil, cumprimentou de cabeça, fazendo um a zero sensacional! Bola com Clodoaldo, Clodoaldo para Carlos Alberto tentando dar para Jair, Carlos Alberto preferiu para Clodoaldo, Clodoaldo pelo meio de campo, Clodoaldo vai se insinuando, levando a bola pela meia-esquerda, dá para Tostão na grande área, parou e passou para Gerson, Gerson abriu para Carlos Alberto, Carlos Alberto chutou... Mal! Muito mal! Uma rosca pela linha de fundo!"

— Seu Pedro, o Cabrini tá acordando. Parece que tá dizendo alguma coisa.

O delegado passou a garrafa para o inspetor e limpou a boca com o braço.

— Não acredito! Esse desgraçado não abriu o bico nenhuma vez. Passa de novo a garrafa pra cá!

O inspetor segurava a cabeça de Bóris, tentando entender as palavras balbuciadas.

— *Dio... Dio... per favore... Dio... io voglio morire... Dio...*

— Parece que ele tá falando num tio, seu Pedro. Quem sabe esse tio dele é que esconde o Lamarca?

— Vamo dá um gole de uísque pra ele! Esse merda também tem que comemorá!

O delegado enfiou o gargalo da garrafa pelos lábios inchados do prisioneiro. E retirou-a logo, para não se sujar com a golfada de vômito esverdeado.

— Terrorista de merda! Vai buscá outra garrafa pra nós, Nilo. Tem uma caixa no meu armário.

— *Dio... Dio... per favore...*

— Viu, seu Pedro? Ele tá falando no tio de novo.

— Que tio nada, seu burro! Ele tá implorando por Deus, o comunista de araque. Tá falando em italiano.

— Em italiano? Mas que cachorro falando em italiano quando o Brasil tá jogando contra a Itália... Posso quebrá o outro braço dele? Por favor, seu Pedro! Italiano filho da puta! Comunista!

"...consultar o relógio! Vinte e cinco minutos da primeira etapa, no ataque o time da Itália, Everaldo é envolvido, Dominique prendendo a bola, entra bem Clodoaldo, toma-lhe a bola, o juiz já marcava antes infração contra o Brasil! Você seria capaz de adivinhar quem vai ganhar este jogo? Se você conseguir, pode ficar rico, pode ficar milionário toda semana pela Loteria Esportiva! No ataque o time da Itália, bola com Burnichi, que dá para Dominguini, Dominguini trabalhando no comando do ataque, bateu Tostão, entrou Brito de carrinho, a bola sobra para Clodoaldo, Clodoaldo leva o Brasil para o contra-ataque, mas Paquete toma-lhe a bola e chuta de qualquer maneira para a linha de lado... Passou momentos difíceis a área brasileira! O Brito mesmo caído conseguiu aliviar e o Clodoaldo carregou a bola! Vai o Brasil para o ataque com Pelé, escapou es-pe-ta-cu-larmen--te de Burnichi e foi violentamente chutado pelas costas pelo jogador italiano!"

– Cachorro! Carcamano filho da puta!

"É sempre revoltante esse tipo de infração! Um chute pelas costas que podia ter tirado Pelé do jogo! O árbitro anota o número do jogador italiano..."

– Para! Para! O que tu vai fazê no Cabrini?

– Vou dá uma paulada nas costas dele! Por conta do Pelé!

– Ele já tá quase morto, seu idiota! Dá uma paulada no padre, se tu quiser.

Mas a raiva do inspetor era contra Bóris. Agarrando-lhe a cabeça pelos cabelos, escarrou-lhe no rosto.

– Assim é melhor! Temos que manter esse cara vivo para o Fleury. E tem outra coisa mais, além disso. Quem manda aqui sou eu!

"E é gol! Goooooooooolll! Gol da Itália! Gol da Itália numa jogada toda errada de..."

– Que merda!

"...atrasou a bola de calcanhar, sem ver que o italiano estava às suas costas! Félix saiu do gol, facilitando para Gigi Riva marcar. Trinta e sete minutos de jogo. O gol de empate imerecido, quando o..."

– Seu Pedro, le juro que o Cabrini está sorrindo.

"...Pelé agora acalma os companheiros. Essas jogadas para trás da defesa eu falava um pouquinho antes. Não sei por que o Brasil tem essa tendência a trocar passes, a fazer brilhatura quando o negócio é despachar a bola com seriedade. Agora é preciso..."

— Ele tá sorrindo, seu Pedro. Me deixe dá uma paulada nele, italiano desgraçado! Se o Brasil perder eu mato ele!

O delegado louro segurou Bóris pelos cabelos.

— Desmaiou outra vez o filho da puta! Vamo tirá ele do pau de arara. Onde é que tá o Nilo?

— Foi buscá o uísque para o senhor.

— Sobe lá e diz pra ele chamar o médico, o nosso! Não posso deixá o Cabrini morrer.

"...mas é um juiz mal-intencionado! Temos aí um larápio! Ele apitou o fim do primeiro tempo no momento em que a bola ia entrar... Este juiz alemão é um larápio que está em campo furtando o Brasil!"

— Esse alemão é comunista, não é, seu Pedro?

— É sim. É da Alemanha Oriental.

— Não sei como é que o general Médici deixou ele apitá o jogo.

"...demonstrou agora de maneira clara seu propósito de nos prejudicar! No instante em que era cobrado o escanteio ainda não estavam jogados os quarenta e cinco minutos. A bola caiu na área e Pelé marcou o gol. O gol que seria o segundo do Brasil. Mas o juiz já tinha apitado o fim do primeiro tempo. Deu as costas e ignorou as reclamações dos jogadores brasileiros... Eu confesso que termino a narração deste primeiro tempo muito apreensivo. A Itália está jogando bem e nós estamos também jogando contra um árbitro que acaba de mostrar de maneira flagrante a sua má intenção. Mas não há de ser nada! Continuo fazendo fé no Brasil mesmo com este juiz mal-intencionado."

O delegado gordo empurrou a porta com o pé. Trazia uma garrafa de uísque em cada mão.

— Conseguiu achá o médico?

— Tá vindo pra cá.

– Vocês dois aí! E tu também! Levem o Cabrini pra cela e botem um cobertor em cima dele. Não! Arrastando não! Já disse que quero o homem vivo!

– Onde é que tu conseguiu esse uísque Cavalo Branco?

– Tá bom, não é Nilo?

– É joia. Quem foi que te deu?

O delegado levou a garrafa à boca e deu um longo gole.

– É legítimo e não tem tampa de segurança. Nada que ver com essas merdas do Paraguai.

O delegado gordo insistiu.

– Quem é que te deu? Diz só pra mim.

O louro baixou a voz.

– Tu nem vai acreditá... Foi o tio desse padre. Um cagão de quase dois metros de altura. Um tal de Klaus.

"... parcial de um a um no estádio Asteca. Vai começar o segundo tempo. A bola está em jogo! Clodoaldo para Carlos Alberto passando a linha central, prepara-se para cruzar entregando a Gerson, Gerson atrai Mazzola, abre outra vez para Carlos Alberto. Dominando o capitão da equipe do Brasil..."

– Por falar em capitão, tá na hora de trabalhar.

– Olha lá o padre rezando, o desgraçado!

– Ele não tá bonitinho no pau de arara?

– Deve tá rezando pro Brasil perdê...

– Esse galeto de merda que não se arrisque... O italiano já tá lá em cima morre não morre.

– Chega de conversa! Vamo girá de novo a maricota.

Um inspetor aproximou-se do telefone de campanha do Exército transformado em gerador manual. As extremidades dos fios estavam atadas nas orelhas de Willy. O rapaz apertou os dentes e preparou-se para o choque. O policial girou a manivela. A cabeça do padre pulava como se fosse sair do corpo. Meu Deus, eu não quero gritar. Eu não posso gritar. Escuridão completa. Faíscas de luz passando de um lado para outro. A cabeça pulando sozinha. Ave-Maria, cheia de graça, o Senhor é convosco, bendita sois vós entre as mulheres e...

– Grita, filho da puta! Bota o bastão nos ovos dele. Grita, veado de merda!

Enquanto um torturador girava a manivela, outro pegou um bastão elétrico e ligou-o diretamente na tomada. Num movimento rápido, enfiou-o no meio das pernas do padre. O choque fez o corpo corcovear em completa descoordenação.

–AAAAAAAAAAAAAAAAAAAAAAAIIIIIIIIIIIIIIIIIII!AAAAAAAAAAAAAAAAAAAAIIIIIIIIIIIII!

– Eu te disse que tu ia gritá! Dá mais outro.

–AAAAAAAAAAAAAAAAAAAAAAAAA-AIIIIIIIIIIIIIIII! aaaaaaaaa aaaaaaaaiiiiiiiiiiiiii! aaaaaaaiiiiiiiiii!

– Podem pará! Agora este padreco tá mais macio.

– A cabeça ainda tá pulando sozinha...

– Atira um balde de água nele.

– Ladrão! Juiz ladrão!

"...o jogador italiano levantou a perna atingindo o rosto de Pelé. Pênalti indiscutível que o juiz não deu. Desse jeito o Brasil..."

– Esse alemão comunista devia tá no pau de arara!

"...de qualquer maneira é uma falta perigosíssima! Lá estão vários jogadores do Brasil ajeitando a pelota. Vamos ver a quem caberá a cobrança... Dois toques! Deve ser dado um toque curto para que outro jogador chute a gol. Piazza vai lá e cochicha qualquer coisa com Pelé. Vai bater Pelé, parece. Expectativa no estádio Asteca! Bateu Pelé para Gerson, Gerson chuta... Muito mal! Muito mal mesmo, a bola bate na barreira e já vai a Itália ao contra-ataque!"

– Que horas são, Pedro?

– Quase quatro e meia.

– Será que sobrou pizza? Tô com uma fome desgraçada.

– Sobe no escritório que ainda deve ter... Aproveita e telefona para Santo Antônio!

– Mas ninguém acha o delegado de lá...

– Se for preciso, vou eu mesmo lá e trago a Ana! Uma carne macia não nos viria mal.

"...disparou Gerson, é gol! Gooooooooooooollllll-lllllllllllllllll! Goooooooooooooooooollllllllllllllllllllll do Brasil! Go-la-ço do Brasil! Gerson no canto esquerdo da meta de Albertossi! Agora está tudo desafogado para..."

– Se cagaram os de perneira!

– Posso pegá a garrafa, seu Pedro?

– Bebe! Bebe à vontade! Hoje é domingo, afinal de contas.

"...Gerson, o canhotinha! Apesar da arbitragem! Apesar da FIFA! Apesar de tudo, o Brasil está na frente no marcador! Aí está! Vinte e um minutos da etapa final, Brasil dois, Itália um! Num passe magistral de Jairzinho! Gerson penetrou, limpou o lance e fulminou no canto esquerdo da meta italiana! Agora há uma falta para a Itália pelo lado direito, vai bater Dominguini..."

– Seu Pedro! O seu Nilo mandô avisá que o médico já chegô!

– Tô indo lá. Como é que tá o Cabrini?

– Ainda não morreu.

– Graças a Deus. O Fleury ia ficá puto da cara.

"...tem que expulsar! Tem que expulsar o número treze da Itália, Dominguini! O Pelé recebeu uma sarrafada sem bola! Sem bola, na cara do juiz, dentro da meia-lua do círculo central. O juiz parece que vai expulsar Dominguini... e Pelé! Esse juiz alemão merece ser fuzilado! Merece ir para o paredão! Não expulsou ninguém... Queria ver ele ter a coragem de expulsar o Pelé!"

– Eu ia lá e dava um tiro na cara dele!

– Alemão comunista, filho da puta... É só tu que mama nessa garrafa?

"...faltam apenas 27 minutos para acabar a partida! Ouvem a Rádio Jornal do Brasil do Rio, Guaíba de Porto Alegre, Continental do Rio, no comando da grande Rede Brasileira dos Esportes, atenção, corre Jairzinho... é Gooooooooooooooooooooooooll llllllllllllllllllllllllllllllllllll Gooooooooooooooooooooooooooooo-olllllllllllllllllllllllllllll Gooooollllllllla aaaaaaaaççççççoooo de Jairzinho para o Brasil!"

— Agora tá pelada a coruja!

"...bem no cantinho direito! Pelé amorteceu a bola, para que Jairzinho marcasse! Terceiro gol do Brasil! E já estamos a vinte e cinco minutos do segundo tempo! É a Jules Rimet que chega às nossas mãos..."

— Vamos dá mais um choque no padre?

— Enfia o bastão elétrico no rabo dele e deixa pra vê.

— E eu torço a maricota! Quero vê esse comunista pulá! Tá todo mundo pulando no Brasil!

— AAAAAAAAAAAAAAAAAIIIIIIIIII! Parem... pelo amor Deus... AAAAAAAIIIIIIIIII! AAAAAAAAA-AIIIIIIIIIIIII!

"...aos trinta minutos da fase final. Faltam quinze para terminar a partida. Brasil três Itália um, corta Piazza na hora H, tem que tirar a bola daí! O Brasil caminha para o título inédito de tricampeão do mundo! Piazza atrasa a bola para o arqueiro Félix e a torcida não gosta..."

— AAAAAAAAAAAIIIIIIIII! AAAAAAAAAAAIII! aaaaaaaailllll!

— O que é que vocês dois tão fazendo?

— Ué, seu Pedro?! Tamos dando choque no padre.

— Perguntaram alguma coisa pra ele?

— Nós não.

— Nós tava ouvindo o jogo.

O delegado aproxima-se de Willy, ergue-lhe a cabeça, o prisioneiro tosse ofegante, cuspindo sangue, a cara do delegado cresce diante do padre.

— Vou te perguntar pela última vez. Onde é que o Bóris Cabrini encontra o Lamarca?

— O Bóris está... está vivo?

— Tá lá na cela bem mimado. Tomando soro por conta do DOPS. Mas se tu não falá, os paulistas vão levá ele. E lá em São Paulo não é moleza como aqui.

"...ganhar dinheiro sem fazer força? Ora, meu amigo, é só jogar na Loteria Esportiva! O governo federal criou a Loteria Esportiva para você enriquecer! Faltam menos de seis minutos para o encerramento do tempo regulamentar! A Itália no ataque, sai Félix para defender tranquilamente... Atenção, Brasil! Quarenta minutos da fase final! Brito toca de cabeça para Gerson, Gerson perde a bola e volta a Itália para o contragolpe, lutando a Itália até o fim, bola tocada pela meia-esquerda a Mazzola, veio Carlos Alberto na cobertura, chutou Mazzola, mas saiu fraquinho, é tiro de meta! Podem começar o carnaval de norte a sul do Brasil!"

O torturador ergue a garrafa, dá um gole e passa a garrafa para o delegado, o delegado bebe, passa para o outro torturador, o prisioneiro está caído com a cabeça para baixo, o prisioneiro geme, o torturador grita de alegria...

– Vamos saí pra comemorá, seu Pedro?
– Só no fim do jogo.
– Parece que o alemão tá falando alguma coisa.
– Vou levantá a cabeça dele.
– Fala, padre de merda!

O delegado olha surpreso para o rosto machucado de Willy. Parece outra pessoa. Um olho semiaberto olha desafiante. A voz é rouca e grossa. Sem nenhuma gagueira.

– Ele vai morrer debaixo de uma árvore.
– Quem vai morrer, seu idiota?
– O Capitão Lamarca vai morrer dormindo.
– O Lamarca? Onde é que ele tá escondido?
– Dormindo debaixo de uma árvore. O ano que vem.
– Esse padre fundiu a cuca!
– Ele vai morrer debaixo de uma árvore.
– Ora, vai pra puta que te pariu!

"...a Itália já está cansada, já está parando, pedimos que o Rio de Janeiro aumente o retorno, o *feedback*, para o estádio Asteca. Faltam quatro minutos para o encerramento da Copa do Mundo."

– Podemos buscá a bandeira, seu Pedro?
– Pra frente Brasil, Brasil, salve a seleção! Todos juntos vamos, pra frente Brasil, Brasil...
– Tem a bandeira com mastro na sala do chefe.

– Podem buscar! Tragam as duas! Do Brasil e do Rio Grande!

"A Copa do Mundo é nossa, minha gente! Vamos para o carnaval carioca, para o carnaval gaúcho, o carnaval de norte a sul de todo o país, Clodoaldo um, dois, bota os italianos na roda, a torcida fica de pé, bola com Jairzinho, Jairzinho para Pelé, Pelé para Carlos Alberto, Carlos Alberto entrou livre, disparou... é Gooooooooooolllllllll! Goooooooooooooooooollllllllllllllllllll! Gooooolllllllllaaaaaaaaaaaççççççoooooooooo de Carlos Alberto! Gooooooooooollllllllll do Brasil! Uma vitória maiúscula! Uma equipe de ouro!"

– Posso abri a outra garrafa, seu Pedro?
– Abre! Pra frente Brasil! Italianos de merda!

Um inspetor pega o bastão elétrico e tira chispas pelo chão, o delegado toma-lhe o bastão e bate com ele na mesa, as faíscas saltam, cheiro de excrementos e carne queimada, a garrafa sobe até a boca do torturador, chegam as bandeiras.

– Bota uma em cada braço do padre!
– Tá bem assim?
– Abre mais as bandeiras! Esse veado tava torcendo contra o Brasil.

"...Brasil! Brasil! Vamos cantar juntos minha gente! É a grande corrente pra frente do povo brasileiro! Brasil tricampeão do mundo! Brasil quatro, Itália um! Uma vitória sensacional!"

O prisioneiro está nu enfiado no pau de arara, a cabeça quase tocando no chão, o corpo cheio de marcas de chutes e pontapés, a boca sangrando, as costelas quebradas, os olhos saindo das órbitas, é um sonho dantesco, minha gente, as bandeiras enfeitando o corpo torturado, é uma figura inesquecível, uma figura surrealista digna de Salvador Dali, os torturadores bebem e pulam carnaval.

– Oh! Dona Amália! Oh! Dona Amália!
– O Brasil botou na bunda da Itália!
– Dá essa garrafa pra cá... Olha o respeito com o seu delegado!

– Não tem nada! Hoje tudo é Brasil!

"...festa no Brasil! Pênalti e o juiz não dá, mas é uma loucura esse final de jogo, saiu Dominguini e entrou Rivera, faltam quinze segundos para terminar a partida, o prisioneiro afrouxa os esfíncteres, o cheiro é insuportável, as bandeiras estão tremulando, Gerson mostra o cronômetro para o juiz, ele não quer terminar, o prisioneiro não confessou, os torturadores berram e pulam em volta do pau de arara, é Brasil quatro Itália um, o prisioneiro agoniza na cela, o médico foi comemorar em casa, é o futebol brasileiro, minha gente, o futebol de Pelé, de Jairzinho, de Gerson, de Carlos Alberto, bola cruzada para Rivelino... TERMINOU A PARTIDA! O BRASIL É TRICAMPEÃO DO MUNDO! A ITÁLIA CURVOU-SE AOS PÉS DO BRASIL! AGORA NINGUÉM SEGURA MAIS ESTE PAÍS!"

Amazônia

Período das águas de 1976

Silvestre dobrou o jornal e olhou pela janelinha do avião. Céu azul sem uma nuvem. Lá embaixo, corria a sombra de asas curtas sobre a mataria fechada. Nenhum sinal de presença humana. Pela primeira vez, desde a decolagem em Brasília, o fazendeiro sentiu uma certa emoção. Homem do extremo sul, só conhecia a Amazônia por fotografias. Duas imagens mantinham-se incólumes em sua mente. A primeira, publicada ainda em preto e branco pela revista *O Cruzeiro*, mostrava um sertanista transformado em "paliteiro humano" pelas flechas dos índios. A segunda, colorida e cheia de luz, era o cartão-postal de um igarapé povoado de vitórias-régias. Enviado por Marcela e Gilson, quando visitaram Manaus. Não sei o que eu vim fazer nesta lonjura. Olha aí! O meu coração já está disparando. Melhor pensar noutra coisa. Virou-se para o deputado, que ainda lia o *Correio Braziliense*.

— Só tu mesmo para me trazer para o meio deste mato. E ainda por cima num avião da FAB.

Jota Camargo sorriu. A dentadura nova dava-lhe um aspecto de roedor. Dentes grandes e brancos. De nada adiantara o dentista insistir numa prótese mais discreta. Sobre o nariz afilado, ainda usava óculos escuros. Mas agora eram bifocais importados da França. Os cabelos continuavam tingidos de preto.

— Este avião é o mais seguro para viajar na Amazônia. Pousa em qualquer clareira. Tu vais ver na chegada.

— É isso que me assusta. Quanto tempo ainda falta?

— Acho que uma hora, mais ou menos. Vamos chegar para o almoço.

— Espero que não seja churrasco de onça.

— Da última vez, eu comi até galeto com polenta. E tomei chimarrão. Hoje nós vamos visitar um assentamento onde dominam os colonos de origem alemã. Tu vais ver como eles são organizados. A maioria veio do Rio Grande do Sul e Santa Catarina.

– Pobres coitados.

– Pobres coitados?! Eles não tinham mais terra e aqui ganharam duzentos hectares por família.

– Para fazer o quê? Isso é uma mataria braba.

– A primeira coisa que eles fazem é derrubar as árvores. Agora nós estamos numa parte despovoada. Tu precisas ver as clareiras enormes que tem aí pra frente. Uma coisa linda! Sem falar na parte que está sendo desmatada para as hidroelétricas. Dentro de poucos anos essa floresta aí embaixo vai ser um enorme pasto para o gado. E se tu não fores teimoso, nós vamos ganhar rios de dinheiro.

Silvestre passou os dedos em pente pelo cabelo branco. Tinha agora a testa mais ampla. Mas nenhum outro sinal de calvície. Vestia um terno claro de tecido leve, camisa branca e gravata vermelha. Os ombros largos e o peito proeminente davam-lhe o mesmo aspecto enérgico de sempre. Apenas um dos olhos começava a turvar-se com o início de uma catarata.

– Não tenho mais idade para mudar de querência.

Jota Camargo exibiu novamente os dentes novos. E baixou a voz.

– Ninguém está te convidando para morar na Amazônia. Eu preciso só do teu nome e do teu prestígio. Os financiamentos estão aí quase de graça. Só basta um pequeno investimento inicial para comprar uns 50 mil hectares de terra. Depois a gente faz o resto com o dinheiro do governo. No meu nome não dá, porque eu sou deputado.

Silvestre olhou outra vez pela janela. Agora a floresta era cortada por um rio de águas avermelhadas. Da altura em que voavam, as árvores mantinham um tom uniforme verde--escuro.

– O Rafael diz que essas árvores são o pulmão do planeta.

– Só faltava ele ter virado ecologista. Essa é a mais nova praga do Brasil.

— Ele me disse que as terras da Amazônia são muito fracas. Que a floresta se autoalimenta ou coisa parecida. Mas que as queimadas e o desmate já estão formando desertos.

— Aquele guri sempre foi exagerado. E depois que viveu na França deve estar impossível. Por que ele não ficou trabalhando contigo na estância? Tu já estás merecendo uma aposentadoria. Pelo menos do lombo do cavalo.

— Acho... acho que foi culpa minha. Eu insisti muito para ele estudar Veterinária e ele não queria sair de Alegrete. Acabou indo para a Universidade só para me contentar. O curso ele tirou meio flauteado nos primeiros dois anos. Depois pegou gosto e não parou mais de estudar. Quando ele me disse que ia ser o primeiro da turma, eu nem acreditei. Pois ele foi e ganhou uma bolsa de estudos para a França. Na volta só pensava em lecionar na Faculdade e em fazer pesquisas sobre reprodução. Mas parece que a Universidade virou uma bagunça e ele recebeu um convite para voltar a Paris. Desta vez vai ficar uns três anos por lá.

— Em três anos eu boto essa mata toda abaixo. Era bom que todos os ecologistas se mudassem para Paris. Lá em Porto Alegre tem aquele louco do Lutzenberger que vive enchendo o saco de todo mundo. Esses caras querem que a Amazônia passe a vida toda como poleiro de macaco. Outro dia ainda eu fiz um discurso na Câmara que repercutiu até nos jornais do Rio e São Paulo. Eu disse que a Transamazônica é o presente da Revolução para o próximo milênio. No lugar onde Henry Ford fracassou, eu disse, os brasileiros estão transformando a mata inútil e peçonhenta em imensos campos de pastoreio. O gado traz dentro de si o adubo para substituir o húmus das folhas mortas. *Large herds of cattle are been established in this new open Amazon region...*

— Ué?! Eu não sabia que vocês faziam discursos em inglês na Câmara de Deputados...

Jota Camargo cheirou as pontas dos dedos longos e sujos de nicotina. Desde Brasília já devia ter fumado uns oito ou dez cigarros.

— Tá boa a pronúncia, não tá? Essa parte final é de um discurso que eu estou decorando para fazer nos Estados Unidos. O meu professor de inglês tá me ensinando palavra por palavra. É para uma reunião de parlamentares com os banqueiros de Nova York.

Silvestre olhou sério para o deputado.

— O Brossard me disse que a dívida externa do Brasil já é a maior do mundo.

— O Brossard anda enchendo o saco do presidente Geisel lá no Senado. Não demora, o alemão cassa o mandato dele.

— Ele me disse que nós estamos pagando os juros mais altos do mercado internacional. E que tem gente do governo fazendo fortunas com as propinas.

Jota Camargo olhou desdenhosamente para a gravata do amigo.

— Vocês do ex-Partido Libertador não desistem da cor vermelha...

O fazendeiro foi obrigado a sorrir. Ainda conservava os próprios dentes. Amarelados e fortes.

— Não me diz que tu achas que o Brossard é comunista? Ele é mais conservador do que eu.

— Para mim quem está contra a Revolução é comunista.

— Mas de que revolução *me hablas?* Já faz doze anos do golpe de 64, Camargo! E vocês da Arena já enrolaram os milicos há muito tempo. Era só o Delfim assobiar e o Médici vinha sacudindo o rabo, como aconteceu na saída do Cirne Lima do Ministério da Agricultura. E esse Geisel, com toda a carranca dele...

O deputado enfiou as unhas no joelho do fazendeiro:

— Fala baixo, Silvestre. Pelo amor de Deus. Esse pessoal da FAB é muito sensível.

— Tá bem, eu falo baixo. Eu pensei que do teu lado não tinha perigo. Tu és deputado federal pela Arena. Comensal do Palácio do Planalto.

Jota Camargo tirou a mão do joelho de Silvestre e voltou a cheirar as pontas dos dedos. Acendeu outro cigarro e acomodou-se na poltrona.

– O poder... legislativo é um poder fraco, infelizmente. Tenho lutado para ser ministro, mas ainda não deu.
– Ministro de quê?
– De qualquer coisa. O que vale é manipular os cordões. Legislativo e judiciário são só poderes de fachada. E como deputado do governo, a gente é que dá as explicações das ladroeiras dos outros... Esse pessoal do MDB é só conversa. Mas os bispos e a OAB estão metendo o nariz em tudo. E agora a imprensa também tá botando os manguitos de fora.

Silvestre sorriu com gosto.

– Manguitos de fora?! Fazia anos que eu não ouvia essa expressão. Até me lembrei da Lúcia.
– Da Lúcia, tua prima?
– Ela fez uma operação plástica com o Pitanguy e...
– Deve ser a quinta ou sexta...
– Espichou o rosto para valer. Até no nariz ela mexeu.
– Que pena! Elas ficam com cara de cachorro pequinês. E gastam milhões para isso.
– Milhões o Gastão tem sobrando... O engraçado da história é que a Lúcia andou frequentando um psicólogo depois da operação. Um tal que faz operação plástica do vocabulário.
– O que ele faz? Recorta a língua?
– Ele ensina a não mais usar palavras antigas. Manguitos de fora, radiobaile, auto de praça, *speaker*, enfezar o carnaval, amolar o padre, votar para presidente da República.
– Olha a língua, Silvestre.

Um soldado de fardamento azul perfilou-se ao lado dos dois passageiros. Cheiro gostoso de café. A bandeja na altura dos olhos do deputado.

– Já tem açúcar?
– Sim senhor.
– Então não quero.

Silvestre espichou a mão.

– Eu aceito um, por favor.

E olhando de esguelha para o amigo:

– Tu estás pegando mesmo uma graxinha.

Jota Camargo deu um sopro descontente.

– E só na barriga. De cara estou pior que o Dom Quixote. Numa dessas, eu também me entrego para o Pitanguy.

– É isso aí, bicho. Como diz o meu bisneto.

Riram os dois. O secretário do deputado aproximou-se e entregou-lhe um cafezinho sem açúcar. Silvestre terminou de engolir o seu e ficou apertando o copinho plástico entre os dedos. O avião começava a perder altura. Era o momento em que Florinda emergia do passado. Tantos anos e ela não sai de perto de mim. Pobrezinha! Como deve ter sofrido quando o avião caiu! Mas tenho certeza que ela não gritou. Sempre foi meiga e valente. Os meus ouvidos estão doendo. É melhor apertar o nariz e soprar forte.

Por duas vezes repetiu a operação. Aliviado, entregou o copinho plástico ao soldado e ajustou bem o cinto de segurança.

Ana ergueu a cabeça para o ronco do avião. Em torno dela, o grupo de crianças mantinha-se em permanente agitação. Um conjunto onde dominavam as cabeças louras e castanhas, entremeado por cabelos negros lisos e crespos. As alturas das crianças também eram variadas, porque a escolinha servia ao mesmo tempo de creche. Uniforme escolar não havia. Cada uma usava suas roupas comuns. Calções de várias cores, camisetas limpas ou sujas de terra vermelha, vestidinhos de fazenda barata, costurados pelas mães. À falta de bandeirolas para sacudir, cada aluno recebera ou colhera um pequeno galho cheio de folhas. Dois meninos maiores batiam um no outro com seus ramos de boas-vindas. Ana tirou os olhos do avião, para separá-los. Usava os cabelos presos em coque por causa do calor. O vestido azul descia até abaixo dos joelhos. A cada movimento, sentia a transpiração brotar no pescoço e sob os braços.

– Chega de bagunça, agora! Vamos entrar em fila e receber os visitantes, cada um sacudindo o seu raminho. Se vocês forem bonzinhos e educados, nós vamos conseguir muito material para a nossa escola.

— Professora, o Tião tirô todas as folha do meu raminho!
— ...o meu é muito menor que o da Karin...
— ...cago esse fiadaputa de pau!
— Olha os nomes, meninos!
— Isso é que nós vamo vê, seu melado!
— Silêncio! Silêncio, vocês todos!
— Posso ficá de mão com a senhora, fessora?
— Eu também quero!
— Eu falei primeiro, sua inxirida!

O ronco do avião abafou todas as vozes. Revoada de pássaros verdes e azuis. O sol a pino mantinha as pessoas longe da pista de pouso. Em realidade, tratava-se do trecho interrompido de uma pretensiosa estrada federal. A tão discutida Transamazônica. Máquinas abandonadas enferrujavam em paz dos dois lados da estrada. A empreiteira deixara para trás um galpão comprido e quatro casas de madeira cobertas de telhas. Uma delas, enfeitada de bandeirinhas de papel, fora adaptada para escola. As outras casas visíveis na clareira eram simples ranchos cobertos de palha. Silvestre tirou os olhos da janela e preparou-se para a aterrissagem.

Lá embaixo, um homem alto destacou-se do grupo de colonos. Em passos largos, aproximou-se da professora. Somente o boné cáqui o distinguia dos demais. Camisa de mangas curtas aberta ao peito. Calças velhas. Chinelos de dedo. Mas sua autoridade era visível nos gestos. No modo de caminhar. Ao contrário dos outros trabalhadores, trazia o rosto barbeado. A pele era avermelhada. O cabelo louro começava a ficar grisalho nas têmporas. O homem imobilizou-se ao lado de Ana. A moça ergueu os olhos e perguntou-lhe baixinho:

— Tu vais falar com ele, Hans?

O homem cruzou os braços e respondeu quase de boca fechada

— Se for o mesmo deputado, não vai adiantar nada.

— Talvez venha outro desta vez. Mas se for o mesmo, eu acho que vale a pena tentar. Se aqui nós estamos mal, o pior será rio acima.

– Eu também não gosto de amansar a terra para os outros. Mas já tivemos paciência demais. *Es ist genuch!*

Ana ralhou outra vez com as crianças mais rebeldes. Agora falava com Hans sem tirar os olhos do avião.

– E o milho que está plantado? Vamos perder tudo?

Hans encolheu os ombros.

– O que vai nascendo, o gado deles come na hora. Acho bom a gente sair logo desta arapuca.

– E as crianças? *Wir müssen um die Kinder zu denken.*

Hans olhou para o grupo de alunos e forçou um sorriso.

– *Keine sorgen!* Em trinta dias a gente constrói outra escola.

O avião tocou a pista sem levantar poeira. Chovera bastante no dia anterior. Ruído estridente de freios e latir de cachorros. Ventania sobre os chapéus de palha dos colonos. Um rebanho de cabras passou correndo pela frente da escola. As crianças riram do bode velho, que trotava desengonçado.

– Agora vamos fazer silêncio, meninos!

– Tia Ana! O Badico tá dizendo nome...

– Solta o meu galho, Tereza!

– Posso i na latrina, fessora?

O avião imobilizou-se diante do galpão comprido. Os três passageiros levantaram-se e caminharam para a porta. O bafo quente entrou junto com um homem de braços peludos. Gordo e suarento.

– Meu deputado! Que alegria rever Vossa Excelência com saúde! Muito bons dias para todos os senhores.

Os erres eram carregados e respingavam saliva. Barba de três ou quatro dias. Cheiro forte de cachaça.

– Bom dia, Bernardi. Como vão os negócios?

– Mais ou menos. Vieram as motosserras?

Jota Camargo mostrou as caixas que ocupavam os fundos do avião.

– Consegui as trinta que o amigo pediu... Mas deixe lhe apresentar o doutor Silvestre Bandeira. O meu secretário o senhor já conhece, não é?

— Muito bons dias, *signore* Victor. O *dottore* Bandeira também é deputado? Todos são meus convidados para almoçar. Matei um cabrito que é uma beleza.

O piloto interrompeu a conversa. Sotaque carioca. Um cigarro sem acender no canto da boca.

— O rádio está anunciando temporal para daqui a uma hora, mais ou menos. Vamos deixar o almoço para Jacareacanga.

O comerciante inclinou a cabeça e esfregou as mãos.

— Meus parabéns pelo pouso! Acho que o *signore* desceria com este avião até no Maracanã.

O tenente achou graça.

— Obrigado, seu Bernardi. Mas faça o favor de nos livrar desta carga imediatamente. A estrada não tem drenagem. Se o temporal nos pegar aqui, arriscamos ficar atolados... Negativo, soldado! Nada de fumar agora! Vamos descarregar logo essa muamba!

Bernardi mostrou os dentes podres para o tenente.

— Muamba! Vocês do Rio de Janeiro estão sempre fazendo gozações.

Jota Camargo pegou o braço de Silvestre.

— Vamos descer de uma vez! O Vitor fica ajudando o Bernardi e os soldados. Quando quiser decolar, é só nos avisar, tenente.

O piloto virou-lhe as costas sem responder e dirigiu-se ao navegador. O deputado respirou fundo, ajeitando os óculos sobre o nariz. Silvestre passou um dedo por dentro do colarinho.

— Não é melhor a gente aliviar a roupa? Que calor!

— Daqui a pouco, Silvestre. Esses caboclos gostam de autoridade com terno e gravata.

— Eu acho uma frescura. Mas vamos em frente.

Hans esperava na base da escada. Logo atrás dele, o grupo de colonos mantinha-se em silêncio. Na frente da escola, Ana lutava para manter os alunos em fila. Três dos maiores já corriam em direção ao avião.

— Bom dia, senhor Pfeifer! Como vai a família?

O líder dos colonos não conseguiu esconder sua decepção. De braços cruzados, ignorou a mão estendida do deputado. Jota Camargo puxou a mão para junto da perna.

— Este é o meu amigo doutor Bandeira. Gaúcho como nós.

Hans descruzou os braços e apertou a mão de Silvestre.

— O senhor também é deputado?

— Nem deputado, nem doutor. Sou apenas um criador de gado.

Hans fechou a cara novamente.

— Mais um comprador de terras.

Jota Camargo empertigou-se.

— Seu Pfeifer, eu respeito sua liderança junto aos colonos, mas não admito que o senhor ofenda os meus amigos. Não esqueça que eu sou um representante do povo e que mereço respeito em todo o território nacional. Vamos indo, Silvestre. A professora está lá nos esperando com as crianças.

Os colonos abriram caminho para os visitantes. O silêncio era constrangedor. Silvestre tirou o casaco e afrouxou a gravata. A maioria dos trabalhadores trazia facões de mato pendurados à cinta. Mas não pareciam agressivos. Ultrapassando o grupo, o fazendeiro segredou para o deputado:

— Acho que aqui tu não tens nenhum voto.

— Nem preciso. Mas tudo é por culpa desse Pfeifer. Ele foi sargento da Brigada e ainda não perdeu a pose. Mas quem manda aqui é a cunhada dele, a professora. Ele faz a carranca, mas ela que dá a palavra final.

Ana aceitou a mão do deputado, mas evitou o beijo no rosto. Silvestre cumprimentou-a cortesmente. As crianças sacudiam os raminhos sem convicção. A professora estimulou-os a cantar. E puxou ela mesma o coro de vozes desafinadas:

"Criança feliz... feliz a cantar... e alegre embalar... seu sonho infantil... Oh meu bom Jesus... que a todos conduz... olhai as crianças... do nosso Brasil!"

As vozes miúdas tocaram fundo no sentimento de Silvestre. Uma miniatura de índia deu um passo à frente e pegou-lhe a mão. Logo uma lourinha adonou-se da outra mão do fazendeiro. Duas outras crianças penduraram-se nos dedos sujos de nicotina do deputado. E o canto prosseguia, agora mais alto e alegre.

"Crianças com alegria... qual um bando de andorinhas... Ouçam Jesus que dizia... vinde a mim as criancinhas! Criança feliz... feliz a cantar..."

Ana calou-se e bateu palmas.

– Muito bem! Agora podem parar, crianças! E virando-se para os convidados:

– Posso dispensá-las? Está muito quente aqui fora.

Jota Camargo liberou as mãos.

– Claro! Claro!

Silvestre achou graça de dois meninos discutindo em alemão. Ana separou-os, ralhando na mesma língua. Depois, virou-se sorridente para o fazendeiro.

– O senhor entende alemão?

– Só um pouquinho. A minha babá me ensinou algumas palavras. Mas quase não tenho com quem conversar.

Hans aproximou-se do deputado. O mesmo tom agressivo na voz:

– O grupo está reunido na sombra do galpão. Querem fazer umas perguntas pro senhor.

– Queres ir comigo, Silvestre?

– Preferia conhecer a escola. Se a professora estiver de acordo.

– Com todo o prazer. Mas não há quase nada para mostrar.

Jota Camargo afastou-se discutindo e gesticulando. Hans marchando quieto a seu lado. Silvestre ergueu os olhos para a placa com o nome da escola. Uma tábua pintada cuidadosamente com letras góticas.

ESCOLINHA COMUNITÁRIA PROFESSORA GISELA SCHNEIDER

– É a senhora?

Ana baixou a cabeça.

– Não. Era a minha irmã. Morreu de malária.

Silvestre teve vontade de abraçar a moça.

– Sinto muito. Acho que vocês são uns heróis. Eu não teria coragem de viver tão longe da minha terra.

Duas meninas de cabelos louros e rosto sardento entraram na escola junto com Ana e Silvestre. A mais alta aparentava uns dez anos de idade. A baixinha não podia ter mais do que sete.

– Podemos ir para casa, tia Ana?
– Eu queria primeiro vê o avião... *Bitte, Tante Ana.*

Ana abraçou-as, uma em cada braço.

– Não são umas belezas? Vocês podem ir ver o avião e depois voltem aqui. Mas antes cumprimentem o senhor... Desculpe, mas não guardei seu nome.

Silvestre beijou as crianças.

– Meu nome é Silvestre Bandeira. Sou gaúcho, como vocês.

As crianças saíram correndo de mãos dadas. Silvestre olhou admirado para a professora. Ana enrubescera até a raiz dos cabelos. Os olhos verde-esmeralda meio arregalados.

– O senhor não seria o... Não. Não seria possível.
– A senhorita acha que me conhece?
– Não. Mas talvez o senhor seja... parente do... da Marcela.

Foi a vez de Silvestre arregalar os olhos.

– Tu conheces a Marcela? Eu sou avô dela.

Ana deu um passo à frente, mas conteve o ímpeto de abraçar Silvestre.

– Eu sou irmã do Willy. Que serviu no quartel em Alegrete. Com o Rafael e o Zé Matungo.

Silvestre sorriu, encantado.

– O nosso seminarista. Claro que me lembro dele. Que pena a Marcela não ter vindo comigo...
– Ela está onde?
– Em Brasília. O marido dela é major do Exército. Eles me levaram no aeroporto esta manhã.

Ana avançou mais um passo e abraçou Silvestre. Depois, pegou-lhe a mão e levou-o até a extremidade da sala. Sentaram-se em duas cadeiras toscas, junto à mesa da professora. A sala era pequena e retangular. O teto sem forro. No quadro-negro, à esquerda da mesa, não havia nada escrito. Mas pelas paredes muitas folhas de papel de todas as cores e tamanhos. Desenhos de casinhas com chaminés fumegando. Frases repetidas diversas vezes. Contas de somar e subtrair. Em lugar de carteiras, havia algumas mesas quadradas e baixas. Com quatro cadeirinhas em volta de cada uma. Cheiro leve de desinfetante. As janelas abertas estavam protegidas com tela miúda pintada de verde. O calor era atenuado pela sombra de duas árvores copadas. Os ramos eram visíveis das quatro janelas. Ana seguia o fazendeiro com os olhos.

– Tudo muito simples, não é?

– Mas tem jeito que funciona.

– A Gisela era professora por vocação. Eu gosto mais da agricultura, mas não podia deixar as crianças sem escola. Aí inventei um currículo da minha cabeça. Temos uma horta que eles mesmos cuidam. Depois da alfabetização, tudo fica mais fácil para mim. O meu sonho era estudar Agronomia. Mas depois que o Willy foi preso...

– O Willy preso? O que houve com ele?

Ana respirou fundo.

– Nós recolhemos no Moinho... no nosso sítio em Três Forquilhas, um ex-sargento perseguido pelo DOPS. Ele serviu também em Alegrete. E ficou muito amigo do Willy e do Rafael.

Uma imagem distante passou pelo pensamento de Silvestre. A pista de salto com seus obstáculos pintados de branco e vermelho. O cavalo tordilho pisando suave na areia macia. O alto-falante identificando o cavaleiro.

– Sargento Bóris Cabrini.

Ana não se admirava de mais nada.

– Ele mesmo. O senhor o conheceu?

— Conheci só de vista. Ele venceu um concurso de salto na véspera do golpe de 64. Não esqueci porque ele montava um cavalo da minha marca.

— O Paraná. E no mesmo concurso o tenente Gilson montava o 45, que o Zé Matungo amansou.

— O Zé Matungo e um trem, segundo me contaram.

Riram os dois. Silvestre espichou o braço e pegou a mão de Ana sobre a mesa. A moça olhou-o com emoção.

— Tu tens os mesmos olhos do Willy.

Ana negou com um gesto de cabeça.

— Os dele são azuis, como os da *Mami*.

— Não importa. Ambos têm o mesmo brilho interior. Uma espécie de luz suave que conquista a gente.

— Que lindo! O senhor tinha mesmo que ser o avô da Marcela e do Rafael.

O silêncio foi quebrado pelo grasnar de uma arara. E outra e mais outra foram pousando sobre os galhos horizontais. Logo também voltaram os periquitos, numa revoada verde e barulhenta. Ana sorria olhando os pássaros. Mechas de cabelo louro caíam-lhe sobre a testa e as orelhas bem desenhadas. Seu rosto irradiava uma grande beleza.

— As crianças dão comida para eles. Às vezes são tantos, que os galhos se inclinam como se fossem quebrar... E temos uma macaquinha, a Cláudia. Mas ela tem pavor do ronco do avião.

Silvestre tirou os olhos da janela.

— Conte-me o que houve com o Willy. Talvez eu possa ajudar.

Ana baixou a cabeça.

— Obrigada. Mas agora ele está bem. Está exilado na França.

— Tu tens o endereço dele? É que o Rafael está indo no fim do mês para Paris. Vai ficar três anos desta vez. Só de pensar nisso o meu coração já começa a ratear. Parece um Ford de Bigode.

— Ele também já... já casou?

— Que nada! E agora que chegou nos trinta, acho que arrisca ficar solteirão. Eu casei com vinte e um e fui feliz até os cinquenta anos.

Um homem baixinho chegou na moldura da porta. Rosto moreno e encovado. Chapéu de palha na cabeça. Sotaque nordestino.

— O seu *Rás* qué falá cum a *sinhora*, don'Ana.

— Já vou indo, Severino.

— É melhor num si tardá não. Ele tá *pégando* raiva do dotor *députado*.

— Diz para ele que eu já vou!

Silvestre tirou os olhos das costas do colono.

— Esse aí é amazonense?

— É do Ceará. Amazonenses aqui só temos os índios e um ou outro seringueiro.

— Tenho mil perguntas para te fazer, Ana. Mas primeiro vamos lá salvar o Camargo. Magrinho como ele é, vai levar uma surra.

Ana sorriu.

— O Hans não vai dar nele. Mas lhe garanto que ele merece... Não se levante ainda! Estou lhe devendo uma explicação... Sobre a prisão do Willy. Todo mundo disse muitas mentiras e eu não gostaria que o senhor pensasse o pior.

— Para mim não precisa explicar nada. Eu sei que muitos padres estão lutando contra a ditadura.

— E sendo torturados e mortos.

— O Willy foi... torturado? Mas onde? Não é possível!

Ana impressionou-se com a expressão feroz do rosto de Silvestre. As mandíbulas quadradas. Os olhos semicerrados.

— Ele e o Bóris foram torturados no DOPS, em Porto Alegre. Nossa família toda ia ser torturada. Mas um colega do Hans nos avisou. E nós fugimos para Santa Catarina.

— Mas por quê? O que vocês fizeram?

— Eles estavam procurando o Capitão Lamarca. E achavam que o Bóris e o Willy sabiam da conexão da VPR com os tupamaros.

– O que é VPR? Hoje tudo são siglas.
– Era a Vanguarda Popular Revolucionária. Acho que morreu junto com o Capitão Lamarca. A repressão foi terrível. Dizem que não sobrou ninguém.
– O Lamarca morreu na Bahia, não foi?
– Morreu não. Foi assassinado enquanto dormia. Debaixo de uma árvore.
– O Gilson diz que ele foi um traidor.
– Também se dizia o mesmo do Tiradentes... Acho que só o tempo vai dizer quem está traindo a Pátria.

Ana levantou-se e caminhou até uma estante cheia de gavetas.

– Há dois meses recebemos uma carta do Willy. Se as crianças não pegaram, deve estar aqui... Graças a Deus! Vou copiar o endereço para o senhor levar para o Rafael.

Silvestre recebeu o papel pautado e leu o endereço:

M. L'Abée W. Schneider
94, rue Broca
75013, Paris, França

Ana ajustou o vestido e acomodou o cabelo com as mãos.
– Vamos agora? Senão o meu cunhado acaba mesmo dando no seu amigo... Aliás, desculpe a pergunta, ele é seu amigo?

Silvestre balançou a cabeça para os dois lados.
– Acho que não. Fomos colegas no Colégio Anchieta há uns dois séculos atrás. Ele me procura muito. No fundo não é mau.

Ana olhou firme nos olhos do fazendeiro.
– Para nós ele é mau.

Antes que Silvestre pudesse abrir a boca, ouviu-se o relincho de um cavalo e o ruído oco de cascos sobre a terra úmida. Ana avançou até a porta, seguida de Silvestre. O grupo compacto poderia ter uns quinze ou vinte cavaleiros. Todos no mesmo trote marchado. O líder tirou o chapéu e acenou para a professora. Cabelos grisalhos e barba preta. Ana não retribuiu o aceno. Sua voz soou diferente. Seca e áspera.

– É só falar em maldade e o diabo aparece.

Silvestre sentiu saudade do Colt 38, cabo de madrepérola. Seu companheiro inseparável desde a Revolução de 23. Mas o revólver ficara na estância por causa das revistas nos aeroportos. E a estância deve estar há uns quatro mil quilômetros daqui. Seria bom também ter o Armando no meu costado. Sua mão direita, ainda poderosa, abriu-se e fechou-se diversas vezes.

– Quem é o cangaceiro?

– Chama-se Jesuíno Cavalcanti não sei mais o quê. É o dono ou testa de ferro dos donos das terras deste trecho do Tapajós. Para os cabras ele é o "Capitão Jesuíno". Eles que fazem o trabalho sujo para o deputado Jota. E para as empresas do sul que compram terras por aqui.

Silvestre mastigou as palavras, sem tirar os olhos dos jagunços. Cada um levava uma escopeta na mão direita. Formavam agora um semicírculo entre a escola e a assembleia dos colonos.

– Qual é o trabalho sujo?

– Escravidão. Deve ter uns cem homens trabalhando de graça para eles. Derrubam o mato o dia inteiro só pela comida. De noite são fechados com cadeado em barracões.

– Mas não é possível...

– A maioria são ex-seringueiros, nordestinos e índios. Mas têm também colonos do sul e negros do Maranhão. Quem tenta fugir, eles perseguem e matam. Se pegam vivo, amarram numa árvore e deixam três dias sem comer. Sei de um caso que eles cortaram o calcanhar do infeliz para ele não fugir mais. Quem recruta os peões é o seu Bernardi. É o aliciador ou "gato", como eles chamam. Ele que fornece as mercadorias para toda essa região. Os preços são três vezes acima do normal. Se nós reclamamos, ele chama o Capitão Jesuíno.

– Um verdadeiro Lampião, o barbudo.

Ana baixou os olhos.

— Dizem que o Lampião protegia os pobres. Esse aí só baixa a cabeça para quem tem muito dinheiro.

Metade do céu já estava coberto de nuvens. Uma rajada de vento sacudiu as copas das árvores. O piloto surgiu na porta do avião e olhou para as nuvens, protegendo os olhos do sol com a mão em pala. Depois abanou para Ana, que retribuiu o aceno discretamente.

— Antes ele vinha muito aqui na escola. Até me trazia bombons e caixas de giz.

— Quem? O tenente da FAB ou o capitão do mato?

Ana teve que sorrir.

— Os dois. Mas agora só quem me incomoda é o capitão. Depois que eu contei para o tenente as barbaridades que se passam por aqui, ele quase nem desce mais em terra. Ele me disse que a obrigação dele é pilotar o avião. Que não é polícia para correr jagunços pelo mato.

— Esse vai chegar a brigadeiro.

Ana pegou a mão direita de Silvestre.

— O senhor não tem medo deles, não é? O Hans também não tem. Por isso eu tenho medo que eles acabem matando o meu cunhado.

— O que é isso, menina? A coisa tá tão feia assim?

A moça concordou com a cabeça. Diversas mechas douradas lhe caíam sobre os ombros.

— O Capitão Jesuíno já nos causou um transtorno grande na família. Só para se vingar do Hans. Quando a mana morreu, o meu sobrinho mais velho, o Alberto, ficou desatinado. Ele considerava a tia quase como mãe. Aí ele andou bebendo no barracão e ficou devendo muito, acho que no jogo. E o Capitão Jesuíno pagou a conta e mandou ele para Serra Pelada. E ele só tinha dezessete anos.

— O que é isso? Serra Pelada?

— Um garimpo de ouro a céu aberto. Bem longe daqui. No encontro do Araguaia com o Tocantins. Um lugar de ladrões e bandidos. Graças a Deus, o menino ainda está vivo. Pelo menos estava, até o mês passado. O seu Bernardi me jurou que sim.

Silvestre lembrou a cara safada do comerciante, seu cheiro de urina e cachaça. Eu é que não acreditaria no juramento daquele cachorro. Mas é melhor não dizer nada.

O ronco do avião atraiu todos os olhares. Agitação entre os colonos e os jagunços. Jesuíno desmontara e protegia o deputado com toda sua estatura. Jota Camargo gesticulava. Hans mantinha-se com os braços cruzados no peito. As mercadorias já estavam recolhidas ao barracão principal. O comerciante trotava em direção ao avião, levando nos braços uma pilha de arcos e flechas de penas coloridas. Uma rajada de vento trouxe cheiro de fumaça e carne assada.

Silvestre sentiu fome pela primeira vez. Mas esqueceu logo ao ver a expressão triste no rosto de Ana.

– Eu quero te ajudar, a todos vocês. Gostaria que... que tu viesses comigo até Brasília. O Gilson é major do Exército. Tu vens conosco e eu te dou a minha palavra que ele vai te escutar. Duvido que o governo esteja a par de todas essas barbaridades.

Ana respirou fundo. As mãos distraídas alisando o vestido azul.

– Como seria bom ver a Marcela... Quantos filhos ela tem?

Silvestre meteu a mão no bolso das calças e puxou uma velha carteira de couro marrom. Com a ponta dos dedos grossos, extraiu a fotografia de um menino sorridente.

– Só este aqui, o Thiago. Mas vale por três. É o meu primeiro bisneto.

Ana olhou carinhosamente para o rostinho alegre.

– Ele tem o cabelo cacheado da Marcela. Mas o queixo é igual ao seu.

O fazendeiro concordou, envaidecido, e guardou o retrato na carteira.

– Vou falar agora mesmo com o Camargo. Tu vens conosco.

– Mas eu teria que ir em casa. Eu...

– Não é preciso pegar roupas.

E sopesando a carteira ainda na mão.

– Para isso serve esta porcaria de dinheiro.

Ana dominou-se para não chorar.

– Eu... gostaria muito. Juro que seria um presente do céu. Mas... mas eu não posso deixar a Heidi sozinha. Ela está esperando outro nenê. E aqui não tem médico. Eu custaria muito a voltar.

Silvestre colocou as duas mãos sobre os ombros frágeis da moça.

– Se eu pudesse, levava todos vocês para o Rio Grande do Sul. Mas se tu vieres conosco, prometo que podes estar de volta no máximo em dez dias. Este avião vai pousar em Jacareacanga e depois nos leva até Manaus. De lá, nós nem precisamos sair do aeroporto. Pegamos o primeiro avião que tenha escala em Brasília. Numa semana lá, nós vamos sacudir o governo com este assunto do Tapajós. Se for preciso, vamos mexer com o próprio Geisel. Na volta, eu te pago um táxi aéreo. Não precisas esperar outro voo da FAB.

Ana desviou os olhos do rosto entusiasmado do fazendeiro.

– Depois que esta chuva chegar, virão outras. E nenhum avião pousará mais aqui.

Como para comprovar suas palavras, um relâmpago cortou o céu em zigue-zague. O trovão não demorou a ecoar pelas barrancas do rio. Grasnar aflito de pássaros. Um burro começou a zurrar nos lados do galpão. Um soldado desceu correndo as escadas do avião e encaminhou-se para o local da assembleia. Ana procurou as sobrinhas com os olhos aflitos. Silvestre mostrou-as ao lado do pai.

– Ele sabe cuidar delas. O que tu achas da minha proposta?

Ana olhou dentro dos olhos castanhos de Silvestre. O esquerdo começando a enevoar-se com uma catarata. Lá de longe, Jota Camargo acenava para o fazendeiro, como quem puxa o ar com a mão. Hans aproximava-se, ladeado pelas duas meninas. Ana forçou seu rosto a sorrir.

– Vá com Deus! E não conte nada para o major Gilson. Depois que o nenê nascer, nós vamos embora daqui. É fácil descer o Tapajós até Santarém e de lá têm barcos grandes para Belém. E estradas para voltar ao sul.

Silvestre olhou para os jagunços que escoltavam a caminhada de Jota Camargo até o avião.

– Agora eu entendo o porquê da Coluna Prestes.

– Coluna Prestes? O Bóris me contou tudo sobre ela. O senhor participou da Coluna Prestes? O pai do Bóris também.

– Infelizmente, não. E hoje me arrependo muito. Principalmente hoje.

Ana fez sinal a Hans para despedir-se de Silvestre. O ex-sargento inclinou a cabeça, o olhar sombrio. As meninas abraçaram e beijaram o rosto do senhor de cabelo branco, amigo da *Tante Ana*. A moça também beijou o fazendeiro no rosto, sob o olhar surpreso do cunhado.

– Vá com Deus! E diga ao Rafael para dar um abraço no Willy. Por todos nós.

Silvestre deu dois passos e voltou-se.

– Cuida bem de ti.

Ana fez-lhe sinal com as mãos para apressar-se. Todos os passageiros já haviam entrado no avião. As primeiras gotas de chuva caíam pesadas sobre a terra avermelhada. A moça ficou uns instantes a olhar para os ombros largos de Silvestre. Depois, virou-se e caminhou para a escola, os braços caídos ao longo do corpo. Quando Silvestre acenou da escada do avião, o vestido azul não estava mais à vista.

Noite fechada. O temporal ainda ruge pelas barrancas do rio. Dentro da casa de madeira, a umidade é quase palpável. Uma goteira pinga sobre a bacia de lata. Outros pingos se formam no telhado de quadrados de tábua. E caem direto sobre o soalho. Ana está sentada numa cabeceira da mesa, lendo em voz baixa para as sobrinhas. O livro ilustrado recebe em cheio a luz escassa do lampião. As três cabeças louras estão muito juntas. No outro extremo da mesa, Heidi passa roupa com um ferro pesado, cheio de brasas morrentes. Hans está sentado numa poltrona forrada de plástico, tentando ouvir as notícias num rádio de pilha. Os estalos da estática abafam a voz longínqua do locutor. O latir insistente de um cachorro faz com que todos ergam as cabeças.

– Deve ser gambá no galinheiro.

– Vou lá dar uma espiada.

– Não é preciso, Hans. A tela é nova. E tá muito molhado lá fora.

– Não vai, *Papi*. O "Garoto" bota ele a corrê.

– Viu? Ele já parô de latir.

O golpe de facão acertou o cachorro na nuca. Caído no barro, o animalzinho estira as pernas num movimento convulsivo. O jagunço espera um pouco com o terçado na mão. E fala em voz sussurrada para o companheiro:

– Esse um já esticô as canela.

– Vô avisá o capitão.

O barbudo está acocorado junto à cerca da horta. A água escorrendo pelas abas do chapéu. O homem que matou o cachorro se aproxima caminhando agachado como um pato e chega bem no ouvido do outro para falar. Cheiro de fumo forte e couro molhado.

– Já morto o bicho.

– Diz pros home apontá pra porta. Quando ele aparecê, vamo atirá tudo junto... Péra aí! Que não me acerte ninguém na professora.

Um porco grunhe alto no chiqueiro. A chuva para de repente. Mas a goteira continua a pingar sobre a bacia. Hans desliga o rádio e se espreguiça. Outro grunhido do porco. Hans levanta-se e pega uma Winchester apoiada na parede. Heidi apoia o ferro no suporte e segura um braço do marido. Está um pouco arquejante. O rosto meio inchado. As pernas entreabertas para suportar o peso do ventre.

– Se tu vais mesmo, põe as botas de borracha.

As meninas insistem para Ana continuar a ler. O colono passa por perto do lampião, caminhando pesado. Entra no quarto do casal, pega o par de botas e senta-se na beira da cama. Na obscuridade, tira os chinelos e enfia as botas sem meias. Outro grunhido do porco. Hans levanta-se e tateia sobre o armário, à procura da lanterna. Experimenta o foco de luz. Imagem rápida da cama coberta por uma colcha de retalhos. Uma boneca de pano apoiada na elevação dos travesseiros. A luz se apaga. Hans volta para a sala. A voz de Ana soa mais lenta e cansada. As meninas começam a bocejar.

— Quando eu voltar, vocês duas vão direto pra cama!
— Tá bem, *Papi*!
— Posso dormir contigo? *Bitte, Papi.*
— Pede pra tua mãe.

Hans bota a lanterna atravessada no cinto, pega a Winchester com a mão esquerda e ergue a tranca com a direita. Os tiros explodem quase ao mesmo tempo. Hans deixa cair a arma e tomba de boca no chão. Gritaria frenética dos jagunços. Heidi corre para ajudar o marido. Uma bala pega de raspão na sua cabeça. A mulher rodopia. As crianças berram de medo. Grasnar de pássaros no lado de fora. Outro tiro atinge Heidi no peito. Ana empurra as crianças para baixo da mesa. As balas tiram lascas da madeira. Os homens invadem a casa. Puxam Ana e as crianças pelos pés. O barbudo bate várias vezes com a coronha da arma no rosto de Hans. Heidi está imóvel. A barriga enorme para cima. As crianças continuam a gritar. Ana se contorce para escapar de dois jagunços. Um deles enfia a mão por baixo da saia e puxa as calcinhas para baixo. Risos roucos. Cheiro de pólvora. O capitão ergue a voz no tumulto.

— Vocês dois aí! Peguem as crianças e levem pra fora!
— E a professora?
— Podem tirá a roupa dela!

Ana dá um arranco para frente. Grita desesperada pelas sobrinhas. O barbudo acerta-lhe um soco debaixo do queixo. A boca se enche de sangue. As meninas continuam gritando. São arrastadas para fora. Mais alguns tiros e volta o silêncio. A goteira continua a bater sobre a bacia de lata. Todos os olhos se fixam na mulher nua. Os cabelos louros caídos sobre o rosto. Uma golfada de vômito faz o barbudo gritar.

– Cadela! Vamo apertá ela contra o chão.

Muitas mãos apertam Ana contra o soalho molhado. Joelhos pesados sobre o peito. As pernas são abertas à força. Um jagunço abre a braguilha e expõe o pênis endurecido. O homem que matara o cachorro dá-lhe um encontrão. Cospe para o lado e aponta a mulher nua para o barbudo.

– Primero o sinhô, seu capitão.

Porto Alegre
Inverno de 1981

Rafael tirou o pé do acelerador e deixou o carro deslizar até a sinaleira. Não tinha pressa. A palestra estava marcada para as nove horas. E o relógio digital marcava sete e quarenta e cinco. Distraído, ouviu a buzina atrás de si antes de perceber o sinal verde. Como costumava fazer nessas ocasiões, acelerou e deu lugar ao apressado. O táxi cor laranja--avermelhado sumiu-se logo entre os ônibus. Rafael manteve o Passat próximo à calçada por mais dois quarteirões e dobrou à direita. Rua tranquila. Poucas pessoas caminhando encasacadas em direção à avenida. Os cinamomos tosquiados deixavam ver a fachada das casas. Um homem grisalho tomava mate diante do armazém pintado pela Pepsi-Cola. Rafael sorriu ao ver o pala e o boné de lã. Até parece Alegrete. Os cinamomos sempre me lembram a infância. Não sei por que eu moro no centro da cidade. É só barulho de buzina e britadeira. Acho que gosto de sumir na multidão. Como também gosto dos lugares isolados. Do grupo que foi comigo a Israel, eu fui o único a gostar do deserto da Judeia. Os outros só queriam ver os vales irrigados. Lá está a igreja do alemão. Vou parar na frente e esperar. Ele nunca se atrasa. Às oito horas em ponto vai mostrar o focinho por aqui.

– Quer bergamota, tio?

– Não, obrigado.

O menino não insistiu. Segurando as redes cheias de frutas maduras, seguiu caminhando em direção ao movimento. Rafael olhou com pena para as roupas puídas. Podia ter comprado as bergamotas. Mas seria como dar esmola. E ele é um trabalhador. Riu de si mesmo. Filosofia barata. No Brasil morrem duzentas mil crianças por ano. Não dá tempo de esperar o socialismo.

Tirou a luva de couro da mão direita e ligou o rádio. Música barulhenta. O cantor fanhoso berrando em inglês. Mais duas rádios com música americana. Finalmente, a voz apressada de um locutor falando em português:

"...impossível de entrevistar o coronel Curió. Nossa reportagem tentou ultrapassar as três barreiras policiais sem nenhum sucesso. Em uma delas, a repressão era mais violenta. Insistindo em tirar fotografias, um profissional de *Zero Hora* teve seu material de trabalho arrancado das mãos e danificado. Comenta-se que os colonos acampados estão passando fome em Encruzilhada Natalino. Segundo o padre Arnildo Fritzen, da paróquia de Ronda Alta, várias famílias já foram sequestradas do acampamento. Os alto-falantes passam horas inteiras transmitindo ameaças para a multidão de acampados, calculada em cerca de três mil pessoas, entre homens, mulheres e crianças. O objetivo de transferir todas essas seiscentas famílias para a Amazônia não será cumprido sem muita violência. Um acampado que furou o bloqueio durante a noite para visitar sua mulher hospitalizada em Ronda Alta mostrava-se confiante na capacidade de resistência da maioria dos sem-terra. Mas as autoridades em Brasília e Porto Alegre atribuem essa atitude a uma intransigência e desobediência civil de inspiração comunista. Já o presidente da OAB contesta essa versão, afirmando que o culpado é o próprio governo, com sua política agrária de apoio à monocultura e ao latifúndio. Segundo o governador Amaral de Souza, o exemplo de Encruzilhada Natalino..."

Uma batida na janela do carro. Rafael reconheceu o amigo através do vidro meio embaçado, desligou o rádio e inclinou o corpo para abrir a porta. Willy sorria. O rosto corado um pouco mais redondo.

– Caiu da cama, barbudo? Pensei que ia ficar te esperando uma meia hora, como da outra vez.

Rafael apertou a mão do padre, pequena e ossuda.

– Se fosse no tempo do quartel, eu te mandava à merda. Mas acho que agora é pecado. Tudo bem, alemão?

Willy entrou no carro. Vestia roupas comuns. Leves para o inverno. Mas o pulôver era de tricô. Os cabelos louros bem mais ralos. O sotaque da colônia ainda intacto.

– Tudo bem. Tu estavas ouvindo as notícias?

– Sobre Encruzilhada Natalino. Queres ouvir um pouco?

– Não é preciso. Estive lá ontem o dia todo.

– Como é que está?

Willy entrecruzou os dedos, pensativo.

– É emocionante, Rafael. Uma lição de coragem. Os sem-terra estão utilizando a tática de Gandhi.

– Resistência passiva?

– Isso mesmo. Não reagem, mas também não cedem. A polícia bloqueou todos os acessos para impedir o abastecimento. Nem comida, nem água, nem lenha. Mas eles seguem resistindo. Com todo esse frio, tu podes imaginar o que eles estão passando. As barracas são de pau a pique, cobertas de plástico preto. Muitas já caíram. O coronel Curió ameaça mandar passar máquinas de terraplenagem por cima do acampamento.

– E como está o padre Arnildo?

– O Dom Cláudio proibiu-o de rezar missa para os acampados. E o Curió quer a cabeça dele e da irmã Aurélia. Aliás, não sei como eles ainda estão em Ronda Alta. Com inimigos tão poderosos.

Rafael ergue as sobrancelhas para o forro do carro. Willy entende a mímica.

– Também acho. Só pela vontade do Espírito Santo. Se dependesse do governo, eles já estavam na cadeia. A irmã Aurélia é cidadã italiana. Para evitar complicações, eles vão forçar a saída dela do Brasil.

– De novo? Daqui a pouco vamos precisar de outra anistia.

– Vamos embora, Rafael? Já são oito e quinze.

– Te acalma, alemão. A palestra é às nove e só vai começar às dez.

Rafael passou a luva pelo vidro embaçado e ligou o motor.

– E o Bóris? Também estava lá?

– Ontem não. Mas o padre Arnildo me disse que ele é o advogado que mais tem trabalhado pelos colonos. Ele estava em Brasília. Não sei se já voltou.

– Se dependesse só do Estatuto da Terra, a reforma agrária já estaria implantada no Brasil. As nossas leis são ótimas. Só que não são cumpridas.

Em marcha lenta, fizeram o retorno na esquina e voltaram em direção à avenida. Willy olhou para o perfil do amigo. O cabelo crespo cobrindo as orelhas. A barba de tons avermelhados. Os ombros largos e o peito saliente. Usava um terno cinza-chumbo e pulôver branco de gola rulê. O sobretudo preto desabotoado. As mãos fortes segurando o volante com leveza.

– Qual é o tema da tua conferência, Rafael?

– Vou fazer a abertura do seminário "A Pecuária no Ano 2001". Iniciativa da Embaixada da França. A Expointer começa esta semana e eles querem aproveitar a concentração de pecuaristas de todo o Brasil em Porto Alegre.

– Acho que não vou entender nada. Em matéria de pecuária eu fiquei lá no moinho com uma vaca só.

– Eu sei. A vaca Miguelina comprada do seu Miguel Schultz.

Riram os dois. Mas logo o rosto de Willy ficou sombrio. O mesmo pensamento entristeceu Rafael. Por uns momentos, ficaram em silêncio. Já estavam rodando na avenida Bento Gonçalves. O trânsito era rápido e barulhento.

– Ainda ontem cobrei do Gilson alguma notícia da Ana.

– Nada?

– Nada.

Rafael concentrou-se no trânsito. Willy falou com voz calma.

– Cinco anos é muito tempo. Mas ela está viva. Só nos resta rezar.

Surgiram à esquerda as palmeiras imperiais. Logo adiante as palmeiras prosseguiam sobre a ponte da avenida

Ipiranga. Willy olhou para o Palácio da Polícia. Muito movimento de pessoas e carros na rua lateral.

– Um dos meus torturadores estava em Natalino.

Rafael sentiu o sangue subir-lhe ao rosto. As mãos crispar-se sobre a direção. A voz saiu rouca, agressiva.

– São sempre os mesmos canalhas.

E com voz mais natural:

– Ele também te reconheceu?

– Acho que não. Ou fingiu muito bem.

– E tu... o que tu sentiste?

– Eu? Nada. Quase nada. Há muitos anos ele está perdoado.

– Há dois anos. Desde a anistia de 1979.

Willy sacudiu lentamente a cabeça.

– Desde 1970 eles estão perdoados dentro de mim.

Rafael riu em falsete.

– Essa é a nossa diferença, alemão. Eu tenho sangue dos degoladores de 1893.

Willy riu de verdade.

– E eu tenho sangue dos bárbaros da Germânia. E o meu torturador também... Não é esse o caminho, Rafael. O Brasil precisa de paz. Eu sei que foi duro para muitos aceitar a anistia para os dois lados.

– Claro que foi. Os crimes foram muito desiguais. E eles saquearam o Brasil. A nossa dívida é a maior do mundo. Toda a nossa safra de grãos está sendo exportada para fabricar dólares. E os dólares não pagam nem os juros da dívida. É uma vergonha.

O carro estava parado junto à sinaleira próxima ao Parque Farroupilha. A névoa começava a dissipar-se. Uma visão antiga passou pela mente de Rafael. O fogo crepitando na lareira. O cheiro do galpão. As vozes roucas dos peões. O gosto amargo do mate. E o velho Armando de pé, junto à porta, as pernas abertas, admirando o tempo.

– Cerração baixa, sol que racha.

Willy emergiu dos pensamentos. O carro rodava agora próximo às árvores.

— Tu também estavas na infância? Que saudade eu tenho da Ana! Por que ela não se comunica comigo? O Alberto disse que ela estava bem quando passou por Marabá. Ficou dois meses trabalhando no hotel para juntar o dinheiro da passagem. Ele morre de arrependimento de não ter vindo junto com ela. Mas o ouro foi mais forte. Serra Pelada é mais outra chaga do Brasil.

— Acho que o Gilson e a Marcela vão assistir à minha palestra. O vovô está hospedado com eles. Vamos seguir insistindo.

— O seu Silvestre já me ajudou muito nesse assunto. Não quero que ele gaste mais.

— Não é uma questão de dinheiro. Este país é imenso. E já se passaram mais de quatro anos.

— Ela está viva, Rafael. Eu sei dentro de mim.

Custaram a achar uma vaga nas alamedas do parque. O sol brilhava sobre o prédio da Reitoria. Os dois amigos saíram do carro e seguiram caminhando em silêncio. No pequeno zoológico, os macacos faziam algazarra.

— Hora da comida.

— Não gosto de bichos presos.

— Nem eu. Mas esses, se não estivessem presos, estariam mortos.

— Acho que não há diferença. Quando a prisão é perpétua.

Marcela descia do carro. Casaco de pele de cor creme. Os cabelos crespos e longos emoldurando o rosto. Willy sentiu um aperto na garganta. A mesma vontade de chorar. Tirou o lenço do bolso e assoou o nariz. Silvestre foi o primeiro a vê-los atravessando a rua. Vestia um sobretudo de vicunha cor de cinza e chapéu da mesma cor. A gravata vermelha destacava-se contra o branco da camisa. O rosto bem barbeado. O gesto amigo em direção ao padre.

— Que prazer, Willy!

Marcela aproximou-se, abraçou-o e beijou-o no rosto. O perfume era o de sempre. A voz um pouco rouca. Willy sentiu-se malvestido. Gaguejou algumas palavras formais. Uma mão pesou sobre seu ombro. E tirou-o do embaraço.

– Zé Matungo! Mas não é possível!

– Eu mesmo! Como é que tu vai ale... padre Willy?

Rafael deu um tapa nas costas de Zé Matungo. O terno azul-marinho parecia estalar nos ombros e nos quadris. O rosto redondo. Os dentes sempre brancos e perfeitos.

– Tu tá numa graxa que dá gosto! Quando é que tu chegaste?

– Agora de madrugada. Vim no ônibus noturno. Eu ia direto pra exposição, mas o seu Silvestre me convidô para ouvi o teu discurso.

Gilson Fraga foi o último a sair do carro. Vestia farda verde-oliva de passeio. Sobre cada ombro, duas estrelas gemadas e uma simples. Deu instruções ao soldado motorista e aproximou-se do grupo. Rosto largo com algumas rugas na testa e nos lados da boca. O quepe bem ajustado na cabeça. Cabelos grisalhos nas têmporas. A voz estridente. O sotaque carioca.

– Você vai bem, padre Schneider?

– Bom... Bom dia, coronel.

– Como está o astral, Rafael?

– Fico sempre meio burro antes das conferências.

Silvestre consultou o relógio.

– Vamos indo? Já são dez para as nove.

Marcela pegou Willy pelo braço e saiu na frente. Inclinou-se para falar-lhe no ouvido:

– Nenhuma notícia da Ana?

Willy fez que não com a cabeça.

– Tenho cobrado do Gilson quase todos os dias.

– Obrigado. Eu... eu sei que ela está viva. Só não entendo por que não se comunica conosco.

– Pode estar doente. Internada em algum hospital.

Uma voz alegre interrompeu a conversa.

— Marcela, meu anjo! Esse teu casaco está divino. O maior barato!

— Tia Lúcia! Tio Gastão! O Rafael vai ficar feliz!

E virando-se para trás.

— Olhem quem está aqui!

Nova parada para abraços e apertos de mão. Lúcia deixou Gastão meio desequilibrado e adonou-se de Silvestre. O marido procurou apoio numa coluna. Tinha o lado direito do rosto repuxado. Mas sorria irônico com o lado esquerdo. E ainda mastigava o charuto. Marcela veio em seu auxílio. Lúcia passava a mão na barba de Rafael, sem tirar os olhos do primo.

— Ele está com cara de cientista europeu! Um barato!

O conferencista era reconhecido e cumprimentado por diversas pessoas. Silvestre também. Outra parada no saguão para cumprimentos. O cônsul da França apertou a mão de todos. Cabelos grisalhos e bigodes de pontas reviradas.

— *Ça va, Monsieur Khalil?*

— *Ça va, merci.*

— Muita gente, não é? Grande prestígio seu.

— A sua equipe trabalhou muito bem. E os meus alunos não falharam.

— Vamos entrar? C'*est l'heure de commencer.*

— *À vôtre disposition, Monseur Lenoir.*

Meia hora depois, o auditório ainda estava em agitação. Composta a mesa, surgira um problema com a aparelhagem de som. Entre o secretário da Agricultura e o presidente da Farsul, Gilson Fraga mantinha-se ereto na cadeira. Nos seus ouvidos, ainda soava a voz profissional do mestre de cerimônias:

"Tenente-Coronel Gilson Fraga, representando Sua Excelência o Senhor General Comandante do Terceiro Exército."

Um dia serei eu o general. E vou exigir que Marcela venha comigo para a mesa. Ela não para de cochichar com o padre. Esses comunistas se infiltram por toda parte. Até na família da gente.

Estalos no microfone. O cônsul conversa com o representante do governador. O reitor parece inquieto. Rafael consulta uns papéis a sua frente. O locutor discute com o técnico de som. Pega o microfone e as palavras saem fachosas. Os estudantes vaiam no fundo da sala.

Um homem magro e alto caminha pelo corredor, à procura de lugar. Willy faz-lhe um sinal com a mão. Ele sorri e aproxima-se. Nariz de lutador de boxe. Bigodes grisalhos de pontas caídas. Pede licença para passar e senta-se no lugar vago de Gilson.

– Tudo bem, Bóris? Tu conheces a... a Marcela?

– Muito prazer. Bóris Cabrini.

Silvestre apertou a mão do ex-sargento.

– Lembro bem do senhor. Do tempo que servia em Alegrete.

– O senhor é o avô do Rafael? Muito prazer. Muito prazer mesmo.

Da poltrona de trás, Zé Matungo espichou a mão grande para o advogado.

– Bom dia, sargento Bóris! Quase não conheci o senhor.

– É o nosso domador, não é? Muito prazer em revê-lo.

– O prazer é todo meu. Que fim levô o Paraná?

– Quem?

– Aquele matungo tordilho que eu domei pro senhor.

Silvestre achou graça.

– Ora, José. Deve estar branqueando os ossos na coxilha.

Bóris ficou pensativo.

– Devo a ele um dos meus poucos sucessos na vida militar. Mas fui obrigado a vendê-lo. Quando saí do quartel.

Lúcia levou o indicador aos lábios. O nariz arrebitado. O rosto com excesso de pintura. Os cabelos avermelhados, duros de laquê.

– Silêncio, gente! O locutor já está falando.

"...e senhores! Em nome da Embaixada da República Francesa e em nome da Universidade Federal do Rio Grande do Sul, antes de iniciarmos nosso conclave, cumprimos o doloroso dever de anunciar o falecimento do deputado federal Danilo Jota Camargo, ocorrida ontem no Hospital de Base de Brasília. Solicitamos a todos os presentes uma última homenagem ao laborioso e honrado parlamentar, através da simbologia de um minuto de silêncio."

Admirada, Lúcia segredou a Silvestre:

– Tu já sabias?

– A filha dele telefonou para a Marcela.

– Ele morreu de quê?

– Câncer de pulmão.

– Também... fumava como um morcego.

Gastão mastigou o charuto.

– Outro que foi antes de mim.

Tosses esparsas. O minuto custa a passar. O locutor consulta o relógio. Espera mais alguns segundos.

"Senhoras e senhores! A quarenta e oito horas do início dos julgamentos da Expointer, hoje a maior exposição pecuária da América Latina, este simpósio franco-brasileiro tem como objetivo analisar nossas perspectivas de produção animal no início do próximo milênio. Dentro de vinte anos apenas, será o ano 2001. Encerradas as comemorações que certamente alegrarão todo o planeta, as forças produtivas terão pela frente o desafio de alimentar uma população que não será menor do que dez bilhões de seres humanos. Alguns jovens cientistas de hoje ainda estarão em atividade no alvorecer dessa nova era. Por essa razão, além da soma de predicados que acumula, o doutor Rafael Khalil foi escolhido pela comissão binacional para abrir este simpósio."

Palmas em todo o auditório. O locutor prossegue:

"Rafael Pinto Bandeira Khalil nasceu em Alegrete, município de grande tradição pecuária, a 17 de outubro de 1945. Filho do engenheiro Elias Ahmed Khalil, de origem libanesa, e de Marta Maria Bandeira Khalil, é neto do conhecido pecuarista Silvestre Pinto Bandeira, aqui presente na exuberância de seus oitenta e um anos de idade."

Desta vez as palmas brotaram das mãos de Lúcia e Marcela, disseminando-se por todo o auditório. Silvestre baixou a cabeça. Muitos olhares fixos em seus cabelos brancos. O locutor prosseguiu:

"Órfão aos cinco anos de idade, após lamentável acidente aéreo que roubou a vida de seus pais e de sua avó materna, Rafael Khalil foi criado pelo avô na Cabanha lbirapuitã, estância tradicional da família Pinto Bandeira. Junto com sua irmã Marcela, ali aprendeu a conviver com o campo, plasmando sua vocação para o exercício das ciências rurais.

"Diplomado médico-veterinário em 1969, nesta Universidade, sua graduação em primeira colocação na turma habilitou-o a conquistar uma bolsa de estudos do governo francês. Após dois anos em Paris, defendeu tese de mestrado na Escola Nacional Veterinária de Alfort, retornando para dedicar-se ao ensino e à pesquisa no Rio Grande do Sul. Em outubro de 1976, retornou a Paris, desta vez para um período de três anos. De lá voltou em 1979, após defender tese de doutorado sobre 'O êxodo rural e seus reflexos sobre a produção primária da América Latina'. Consultor da FAO, membro atuante da Agapan e de outras entidades nacionais e internacionais de proteção à vida e ao meio ambiente, o professor Rafael Khalil, às vésperas de completar 36 anos de idade, destaca-se como um dos nossos técnicos mais respeitados no Brasil e no exterior.

"Minhas senhoras e meus senhores! Tenho a honra de chamar a esta tribuna o nosso primeiro conferencista, professor Rafael Pinto Bandeira Khalil!"

Rafael levantou-se, afastou a cadeira e caminhou a passos largos para a tribuna. As palmas acompanharam-no durante o percurso. Acomodou alguns papéis e dirigiu-se ao público. A voz era serena. O timbre metálico.

"Autoridades componentes da mesa, senhoras e senhores participantes deste simpósio, meus estimados alunos, familiares e amigos.

"O Brasil foi um dos poucos países do mundo a sofrer interferência colonialista ainda antes do seu descobrimento. Quando as naus de Pedro Álvares Cabral aportaram em terras da Bahia, o território nacional já estava dividido entre Portugal e Espanha pelo Tratado de Tordesilhas."

Risos esparsos no auditório.

"Caso houvessem vingado os termos daquele acordo bilateral, que ignorou os direitos de dez milhões de índios que já habitavam o nosso território e que hoje não passam de cem mil, o mapa do Brasil seria muito diferente. Uma estreita faixa litorânea, entre Belém do Pará e Laguna, em Santa Catarina. O atual Estado do Rio Grande do Sul, nos anos do descobrimento, teoricamente pertencia à Espanha. E só não foi por ela colonizado, ou por outras nações de vocação marítima, em razão do escudo protetor de areia que impedia o acesso a este rico território.

"Joaquim Francisco de Assis Brasil, pecuarista e diplomata, em conferência pronunciada no ano de 1904, dizia o seguinte sobre a barra do Rio Grande, que tanto trabalho deu aos navegadores: 'O nosso Estado se parece com uma baleia. A baleia tem dimensões enormes e uma garganta estreitíssima. O Rio Grande do Sul é uma baleia no tamanho, mas tendo como garganta essa barra mesquinha, por onde não podem escoar livremente todos os nossos produtos.'

"Hoje a barra do Rio Grande está aberta ao mundo e, para tal feito, muito contribuiu a sabedoria da França. Mas quando o primeiro gado foi trazido para nossas pastagens, a faixa de areia que se estende de Torres até o Chuí foi a proteção maior para aclimatação e desenvolvimento pacífico desses animais.

"A América desconhecia o cavalo e o boi. Os ameríndios desconheciam a roda. Sem entrar em polêmicas de caráter histórico, acreditamos com Aurélio Porto que os primeiros bovinos foram introduzidos no Brasil em 1550, através de Pernambuco, Bahia e São Vicente, hoje São Paulo. O primeiro gado gaúcho é de origem vicentista, mas aqui chegou passando primeiro pelo Paraguai. Em 1630, foram os padres jesuítas que iniciaram a criação de gado na região compreendida entre os rios Uruguai e Jacuí. E esse gado crioulo era descendente daquelas primeiras reses trazidas de Portugal e aclimatadas no Paraguai.

"Não vou vos falar aqui da extraordinária experiência socioeconômica que foi a República Guarani. Mas recomendo a todos que ainda acreditam nas mentiras sobre a incapacidade de trabalho do índio brasileiro, que visitem as ruínas de São Miguel e que busquem conhecer melhor esta história dos nossos antepassados. Porque são nossos antepassados no sangue e no amor ao pastoreio aqueles guerreiros de Sepé Tiaraju que morreram lutando em defesa da terra. Uma terra que souberam cultivar com algodão, trigo, linho, frutas, verduras, erva-mate. E ainda amealhar um rebanho bovino de dois milhões de cabeças, abandonado aos invasores dos Sete Povos, em 1756."

Rafael correu os olhos pelo auditório e prosseguiu com a mesma segurança:

"Este seminário foi concebido para predizer o futuro e eu vos estou levando para os subterrâneos do passado. Acontece que um conterrâneo do nosso estimado amigo Monsieur Lenoir, chamado Louis Pasteur, há quase um século já provou que não existe geração espontânea. Sem conhecer as raízes, não poderemos prever até onde chegarão nossos galhos mais altos. Nossos sonhos mais ousados. A realização de nossas esperanças."

Lúcia segredou no ouvido de Silvestre:

– Ele vai acabar deputado.

– Vira essa boca pra lá.

– Ser político é uma boa, Silvestre. O deputado Jota era um pelado e morreu milionário.

"...atearam fogo à Catedral de São Miguel. Destruído o sonho socialista-cristão dos guaranis, expulsos da terra aqueles homens e mulheres que tão bem souberam cultivá-la, o gado missioneiro atraiu aventureiros do Prata, da Laguna e de São Paulo, que aqui chegavam, como muito bem os definiu Erico Verissimo, na ânsia do ganho fácil, *preando índios e emprenhando índias.*"

Risos discretos nas primeiras filas. Mais altos e espontâneos entre os estudantes. O orador sorriu e continuou:

"Da mescla de sangue ibérico e ameríndio nasceu o gaúcho. Termo pejorativo nas suas origens e hoje alçado à nobreza de nosso vocabulário. Os termos *índio vago, indiada do galpão, oigaletê índio velho* são testemunhas dessa época. Ao sangue branco e índio incorporou-se o negro, arrancado à força de sua terra africana. E plasmou-se a figura do nosso peão campeiro, até hoje um infeliz que quase nada conquistou para si mesmo.

"A destruição dos Sete Povos coincidiu com a construção do forte Jesus, Maria, José, no atual porto do Rio Grande, e o início da colonização portuguesa através dos casais atraídos dos Açores. As terras que ainda constituem latifúndios em nosso Estado nunca foram compradas de ninguém. Foram apenas partilhadas como espólio entre os nobres portugueses e seus prepostos da casta militar e da alta administração. Da mesma forma que as atuais terras da Amazônia vêm sendo entregues gratuitamente a grandes capitalistas e até mesmo a empresas estrangeiras que aqui chegaram para produzir automóveis ou produtos químicos. Um dado estatístico é estarrecedor. De 1950 a 1960, 85% das terras novas ocupadas na Amazônia o foram por pequenos proprietários e 15% por grandes latifundiários. Entre 1960 e 1970, os pequenos receberam 35% e os grandes 65%. Na última década, entre 1970 e 1980, os pequenos receberam 6% das terras novas e os grandes abocanharam 94%."

Rafael mediu a atenção do auditório e prosseguiu:

"Para darmos uma ideia de como era a rentabilidade das nossas estâncias antigas, vamos transcrever algumas palavras do sábio francês Auguste de Saint-Hilaire, que por aqui andarilhou nos anos de 1820 e 1821, ou seja, às vésperas da independência. Registrada em seu diário, com data de

13 de fevereiro de 1821, está a seguinte descrição de uma fazenda de criação de bovinos próxima a São Borja: 'Entre os animais da estância, conta-se mais ou menos metade de machos e outra de fêmeas. Aqui, pode-se marcar anualmente um quarto do rebanho. Quando um criador possui quatro mil bovinos, pode marcar anualmente mil, dos quais é preciso eliminar cem cabeças para os impostos'."

Risos entre os fazendeiros. Rafael prosseguiu:

"Restarão ao criador novecentas cabeças. Dos quatrocentos e cinquenta machos se deduzem cinquenta, que morrem por moléstias ou por castração. Então o fazendeiro poderá vender quatrocentos bois por ano, ou seja, um décimo de seu rebanho normal."

O conferencista calou-se por alguns segundos. E logo percorreu a assistência com um olhar de desafio.

"Um século e meio depois desta descrição de Saint-Hilaire, a rentabilidade média da pecuária extensiva no Brasil em quase nada mudou. Somos obrigados a dizê-lo, para nossa vergonha. Às vésperas do século XXI, ainda criamos gado como o fazíamos no século XIX!"

Aplausos e gritaria nas filas dos estudantes. Silêncio entre os fazendeiros. Gastão tirou o charuto apagado da boca.

– Esse guri tá fazendo demagogia.

Silvestre ignorou a observação. Willy olhou sorrindo para Bóris. O advogado inclinou a cabeça. Marcela bebia as palavras do irmão.

"...a culpa dessa situação retrógrada? Herdamos ou nos apropriamos de um território ideal para a prática da agropecuária. Nosso clima permite as mais diferentes culturas, mesmo a produção de trigo e lã. Nossas pastagens nativas pertencem à categoria A nos registros da FAO. Nossas secas são suportáveis e a neve só existe de fato nos cartões-postais, para atrair turistas. Nossos reprodutores de origem europeia e indiana desfilam nas exposições entre os melhores do mundo. Mas são animais criados em separado do rebanho geral. E 90% do gado brasileiro ainda passa fome, ainda morre de fome em 1981, como morria em 1917, a crer nestas palavras de Assis Brasil."

Rafael procurou a citação entre seus papéis. Gastão virou-se para Silvestre. Metade do rosto torcido numa careta.

– Parece que o teu neto quer ressuscitar o Assis.

– E quem te disse que ele morreu?

Lúcia ralhou com os dois.

– Silêncio, gente!

"...em conferência pronunciada, como eu disse, no ano de *1917*: 'A causa principal das mortandades de gado no Rio Grande do Sul é a inanição. O gado morre de fome. Pastou o verão inteiro e todo o tempo anterior, sem nenhum alívio, sobre o mesmo terreno; quando chega o inverno e não há mais brotação, o terreno está rapado. Só sobrevivem as reses que conseguiram engordar muito durante a boa estação e passam o inverno no que se chama a autofagia, a queimar, a devorar os seus próprios tecidos.'

"Esta observação de Assis Brasil está completando sessenta e quatro anos. E o gado gaúcho e brasileiro continua a morrer de fome. A ignorância da rotação de pastagens, da fenação, da ensilagem, da prevenção de doenças carenciais, são o retrato sem retoques da nossa pecuária. Enquanto esbanjamos, jogamos ao lixo tanta proteína animal, as crianças brasileiras estão entre as mais desnutridas do planeta. Crianças e adultos que repetem em nossas favelas os espetáculos de Biafra, que tanto apavoraram o mundo civilizado!"

Aplausos delirantes no fundo do auditório. Gilson Fraga emergiu de seus pensamentos. O que será que ele disse? Rafael voltou a falar em voz pausada.

"Em 1974, tive o prazer de participar, em Roma, da Conferência Mundial de Alimentos, que reuniu representantes de cento e trinta países. Depois de amplos debates, chegou-se a uma série de conclusões e objetivos, entre eles o que vou relatar, gravado para sempre em minha memória: 'Daqui a dez anos, nenhuma criança deverá dormir com fome, nenhuma família deverá viver no temor da falta de pão para o dia seguinte e o futuro e a capacitação de qualquer ser humano não deverão ser comprometidos pela má nutrição'.

"Belíssimas e mentirosas palavras. Aumentaram-se as áreas de cultivo e desenvolveram-se programas de produção animal em todo o Terceiro Mundo. Apenas na América Latina, acrescentaram-se cerca de 50 milhões de novos hectares às áreas de cultivo de grãos. Mas a monocultura acentuou o uso indiscriminado de pesticidas, a destruição do ecossistema e o êxodo rural. Hoje, a população rural do Brasil é de apenas 31% e o cinturão de miséria aumenta em todas as capitais. Estamos batendo recordes de produção de grãos, mas o nosso povo não tem poder aquisitivo para comprar seu pão. Os pequenos proprietários são escorraçados de suas terras, onde produziam alimentos para o sustento da família e excedentes em milho, feijão, banha, carne de porco. Caminhões de verduras chegam a Porto Alegre, diretamente de São Paulo, como se aqui fosse o deserto do Saara.

"A comida que produzimos no Brasil, principalmente a proteína dos nossos grãos de soja, vai engordar porcos e alimentar vacas da Europa e dos Estados Unidos. E os descendentes dos índios agricultores de Sepé Tiaraju, dos negros que sabiam cultivar suas terras na África, dos imigrantes, principalmente alemães e italianos, que atravessaram o oceano para trabalharem a nossa terra, foram expulsos das áreas produtivas e transformados em párias da Nação. Enquanto discutimos, limpos e bem vestidos, o futuro do boi no ano 2001, esquecemos a odisseia de três mil pessoas que apodrecem em Encruzilhada Natalino. Colonos que são arrastados à força para a Amazônia, enquanto a terra gaúcha sobra para muitos deixarem sobre ela o gado morrer de fome."

Aplausos frenéticos entre os estudantes. Constrangimento na mesa das autoridades. Gilson Fraga sente o sangue subir-lhe até as orelhas. Na plateia, Gastão levanta-se com dificuldade e ergue um braço com a mão espalmada.

– Eu peço a palavra! Eu peço a palavra!

Lúcia tenta puxá-lo para a poltrona. Gastão livra-se com raiva.

Os aplausos se confundem com as vaias. O fazendeiro grita e consegue ser ouvido pelos que estão mais próximos.

– Convido a todos os fazendeiros... Convido a todos os presentes para... para sairmos deste recinto!

O rosto de Gastão é uma máscara de ódio. A espuma se acumula nos cantos da boca. Aplausos e apupos no auditório. Rafael bebe um copo de água. Silvestre ergue-se da cadeira. Mas Gastão está fora de controle.

– Não vamos mais supor... suportar essa dema... demagogia comunista!

Gastão livra-se de Lúcia e abre caminho até o corredor. Muitas pessoas levantam-se para segui-lo. Os estudantes gritam e procuram obstruir as saídas do auditório. A voz de Rafael soa enérgica no microfone:

"Peço aos estudantes que retornem a seus lugares e mantenham a calma! Logo que os incomodados se retirarem, cumprirei meu dever de prosseguir e concluir esta palestra."

Mais alguns minutos de rebuliço. Grandes claros no auditório. O presidente da Farsul volta a seu lugar na mesa. O reitor gesticula muito. O cônsul concorda com gestos de cabeça. Silvestre respira com dificuldade. Marcela pega-lhe da mão.

– Está se sentindo mal, vovô?

– Nunca pensei que eles fossem tão burros. Não mudaram nada desde a Revolução de 23.

Zé Matungo inclina-se para perguntar a Willy e Bóris:

– O que foi que ele disse de errado?

– Apenas a verdade, nada mais.

Rafael retomou a palavra. Aplausos dos remanescentes no auditório.

"Peço atenção da plateia para mais algumas palavras de Assis Brasil, a quem não canso de render homenagens por sua clarividência: Todos somos livres para não aceitar os ensinamentos. Mas nenhuma pessoa razoável poderá negar a utilidade do que vos ensino. Pena que não se possa converter em realidade a fantasia de que somos donos da terra. Ela que é dona de nós."

Novos aplausos, inclusive entre as autoridades.

"Creio que já está na hora de dizer o porquê da escolha de Assis Brasil como inspirador da maioria dos conceitos expostos nesta palestra. E para aqueles que não o conheceram pessoalmente ou através de seus ensinamentos, vale recordar um pouco de sua biografia.

"Joaquim Francisco de Assis Brasil nasceu em São Gabriel, em 1858, e faleceu em sua granja de Pedras Altas, na véspera do Natal de 1938. Em seus oitenta anos de vida, mesmo quando no exercício da diplomacia, foi um apaixonado pela terra e seu cultivo. Diplomado em Direito em São Paulo, republicano histórico, amigo de Rio Branco e Rui Barbosa, representou o Brasil como embaixador em Lisboa, Washington e Buenos Aires. Retirando-se do Itamaraty, aos cinquenta anos de idade, dedicou-se a provar na prática o que afirmava há anos na teoria: *uma quadra, uma légua*. Ou seja, com 87 hectares bem aproveitados, um agropecuarista poderia produzir o mesmo do que numa área mal aproveitada cinquenta vezes maior. Era a condenação do latifúndio. Era a luta pela reforma agrária. Era o enfrentamento com os retrógrados que insistiam na indústria falida do charque. Da irritação e mesmo do ódio de alguns de seus contemporâneos, Assis Brasil extraiu lições, como estas palavras de coragem que pronunciou há mais de meio século: 'O homem que se apresenta com uma novidade torna-se logo um ser odioso a todos os rotineiros. Infelizmente, isso é humano. É que o inovador vem quebrar a corrente do sentimento geral, e essa quebra não se faz sem dor ou irritação'.

"Assis Brasil queria que o Brasil fixasse os colonos às margens das ferrovias. Ideia que foi fatal a João Goulart em 1964, quando tentou reservar para a reforma agrária as terras vizinhas às rodovias federais. Assis Brasil pregou a independência do estômago como caminho para a independência social. Seus ensinamentos foram esquecidos ou ignorados e a situação agrária é uma das maiores vergonhas nacionais.

"Minhas senhoras e meus senhores! Amigos que souberam ter paciência para escutar-me até o fim! Eu vos poderia ter falado dos progressos da ciência agrária nos países desenvolvidos, dos milagres do transplante de embriões e do futuro da engenharia genética, que irá revolucionar todos os nossos conceitos de produção agropecuária. Outros o farão certamente, e melhor do que eu, no decorrer deste simpósio. Mas não podemos sonhar tão alto antes de solucionarmos nossos problemas fundamentais. Importamos leite em pó, possuindo um dos maiores rebanhos bovinos do mundo. Importamos milho, arroz, feijão e muitos outros alimentos que a nossa terra produz com facilidade. Repetimos irresponsavelmente os erros da monocultura do período colonial. Somos presa fácil da ganância de aventureiros de todas as latitudes.

"Ao concluir minhas palavras, quero alertar novamente todas as pessoas detentoras de poder político e econômico neste país, para a dura realidade agrária que vivemos. Um por cento de nossa população detém 60% das terras produtivas. E esses proprietários não sabem ou não querem produzir. Os que erguem a voz em defesa do trabalhador sem-terra são acusados de subversivos. O exemplo do México, que amargurou uma tenebrosa revolução agrária no começo do século, deve estar presente para não insistirmos em privilegiar o latifúndio e a monocultura. Sem falar no primarismo dos nossos planos de saúde, principalmente no meio rural."

Rafael olhou para o auditório em silêncio por alguns segundos.

"Eram estas as palavras que eu vos reservei para a abertura deste seminário. Muito obrigado."

Porto Alegre
Primavera de 1987

Rafael entrou no quarto e contemplou a mulher adormecida. A luz da manhã forçava passagem pelas venezianas. Cheiro de mulher amada. Ana despertou com o segundo beijo no pescoço. Resmungou alguma coisa e logo arregalou os olhos verde-esmeralda.

– Já é tarde, *Schatz?*
– Ainda não. Mas o Willy já chegou.
– Então são oito horas. Ele nunca se atrasa.

Ana senta-se na beira da cama. A gravidez lhe arredondara o corpo esguio. A camisola de seda lhe modela os seios e os quadris. Mas os movimentos ainda são ágeis. Caminha até a penteadeira e olha-se no espelho oval.

– Meu rosto está muito inchado. Vai lá para a sala conversar com o Willy. Não gosto que tu me vejas assim.

Rafael aproximou-se e abraçou Ana pelas costas. Colocou suavemente as duas mãos sobre o ventre e esperou alguns segundos.

– Ué!? O nenê não está se mexendo hoje.
– Ainda deve estar dormindo.
– Coitadinho... Quem sabe a gente cancela esse programa de televisão?

Ana virou-se e encarou Rafael. Uma expressão meio infantil no rosto arredondado.

– Seria uma decepção para mim. E o Dr. Renê disse que eu posso.
– O Dr. Renê é apaixonado por ti, igual ao vovô. Por sinal, o vovô já telefonou hoje cedo.
– Que sono o meu! Não ouvi nada.
– Eu desliguei o telefone do quarto quando me levantei.
– Como está o seu Silvestre?

— Ótimo! Ia assistir ao guri do Zé Matungo domar um potro.

— Que inveja! Depois que botaram telefone lá na estância, eu morro de tristeza de viver na cidade... Agora vai! Não gosto que tu me vejas com esta cara horrorosa.

— Milhares de pessoas vão te ver daqui a pouco.

— Mas até lá eu disfarço a feiura. A Eunice já chegou?

— Ainda não. Mas não te assusta que eu já fiz o café.

— Obrigada, amor. Eu tenho abusado tanto de ti...

Rafael levou o indicador aos lábios. Usava a barba um pouco mais curta. Vários fios brancos no bigode e no queixo.

— Para alguma coisa serviu o meu tempo de solteirão.

Ana aproximou-se e olhou-o firme nos olhos castanhos.

— Tu não tens saudade desse tempo?

— Se tu vais falar de novo nas minhas conquistas amorosas eu saio disparando. Ainda bem que o Dr. Renê me preveniu.

— Tu... tu não sentes falta mesmo de outras mulheres?

— Claro que não, meu anjo. E nós nunca paramos de fazer amor.

— Com esta barriga, não sei como tu ainda gostas.

Rafael beijou-lhe outra vez o pescoço.

— Se tu quiseres, eu te mostro como.

— Vai-te embora, *Schatz*. A Maria Amélia me pediu para chegar na TV às 9 e meia. O programa é ao vivo.

Rafael sai do quarto. Cheiro de café na sala inundada de luz. Willy está na sacada, olhando o rio. Um navio petroleiro avança vagaroso pelo canal. As águas vão se abrindo em leque. O sol revela cada detalhe da paisagem. Céu azul por sobre as ilhas verdes, águas prateadas. Na outra margem, a chaminé fumegante da fábrica de papel. Mais à esquerda, Willy identifica as pedras brancas da ilha do presídio. Desvia rapidamente o olhar. Mas a memória lhe devolve intacto o cheiro da prisão. Rafael debruça-se na sacada.

— Vista linda, não é? Só ela vale metade do aluguel.

— É sim. Pena aquela coisa lá no meio do rio.

– Ainda bem que desativaram o presídio.
– O DOPS também está desativado. Pena que ninguém consiga desativar a memória da gente.

Rafael olhou admirado para o rosto triste do amigo. Descobriu de repente o quanto ele parecia envelhecido. A luz crua da manhã revelava as falhas no cabelo. As rugas profundas na testa. A palidez da pele sardenta.

– Tu andas trabalhando demais, alemão.
– Nadando contra a correnteza... E a gente tinha tantas esperanças. Mesmo quando o Tancredo Neves morreu, eu não perdi a fé na mudança política. Achei que a ditadura tinha recuado. Acreditei que a Nova República ia mudar o Brasil.
– Nós esquecemos, fizemos questão de esquecer que o Sarney tinha compromissos pessoais com a ditadura. Acreditamos que estivesse regenerado. Logo ele, um dos grandes latifundiários do Maranhão.
– Ele mente bem na televisão.
– É verdade. Quando ele anunciou o Plano Nacional de Reforma Agrária, parecia um estadista de verdade. Poucos enxergaram os cordões.
– Cordões puxados pela UDR e pelo SNI. Para te dizer a verdade, não vai haver reforma agrária nenhuma neste governo. Uma ou outra desapropriação de terras para amansar os trabalhadores rurais, e se acabou. Desde 1964, milhares de trabalhadores sem-terra, de índios, sacerdotes, religiosas, advogados e outros idiotas como nós foram assassinados em conflitos pela posse da terra. Somente seis casos tiveram julgamento na justiça. E só três assassinos estão presos.
– Que seguramente não são os mandantes dos crimes...
– É isso aí.

Rafael fez um gesto largo, mostrando a paisagem à sua frente.

– É difícil ser amargo olhando toda essa beleza.
– A beleza que resta ainda foi obra do Criador. Mas a amargura hoje está dentro de mim. Não consigo tirar da cabeça o rosto do padre Josino. A pele escura. Os olhos pretos

a pedir socorro. Ele avisou para todos nós que ia ser assassinado. Nós imploramos para ele sair do Tocantins. Mas ele era um missionário. Sabia que ia morrer e não recuou um passo. E o ministro da Reforma Agrária teve a coragem de ir ao enterro. Nenhuma autoridade ousou impedir o atentado.

– Mas o criminoso foi preso.
– Ora, Rafael. O Bóris voltou ontem de Brasília e me contou tudo. Ele participou do Tribunal dos Crimes do Latifúndio. O processo do assassino foi uma farsa. Ele matou o padre Josino por dinheiro. Cinquenta mil cruzeiros pagos pelos fazendeiros Geraldo Paulo Vieira e João Teodoro da Silva. Mas ninguém tentou prender os mandantes. O advogado da Pastoral da Terra foi impedido de atuar no processo. E nós batemos palmas na posse do Sarney.

Rafael colocou uma mão leve no ombro do cunhado.
– Vamos tomar café, Willy?
– Com bastante açúcar.
– Tu estás mal, não é?
– Quase não me reconheço. Acho que são os pesadelos.
– Tu sonhaste com o padre Josino?
– Não. O meu sonho é simples. Não tem nenhuma tragédia. Mas se repete muitas vezes. É como se fosse... uma ladainha. Um mau ensaio de teatro. Eu repito o mesmo ato e me acordo. Durmo de novo e tudo acontece outra vez.
– Vamos entrar e sentar um pouco. A Ana não vai demorar.

Voltaram para a sala e sentaram-se em duas poltronas. De frente para a televisão desligada. Sobre a mesinha baixa, a garrafa térmica e a cuia de chimarrão apoiada sobre um tripé. Papéis espalhados. Dois livros grossos, encadernados.

– Desculpa a bagunça. Eu estava trabalhando desde cedo.
– Tu tens a sorte de tomar chimarrão. Eu nunca me acostumei.
– Queres tomar café de uma vez?
– Não. Vamos esperar a Aninha.

— Está bem. Quem sabe tu me contas o teu sonho? Se não for proibido para menores.

Willy tentou sorrir.

— Não tem nada de erótico. Eu sou igual no sonho como na vida real. Nunca faço nada de extraordinário.

— Como é que começa? Sempre igual?

— Eu sempre estou no mesmo lugar. Uma rua estreita de Paris. Bem tarde da noite.

— Olha aí! Lembranças ruins do teu tempo de exilado. Uma reação de defesa do subconsciente.

— Eu nem comecei e tu já saíste a galope. O meu tempo de exilado foi muito bom. Uma época de trabalho fecundo. Não tenho nada a me queixar da França.

— Então conta todo o sonho.

Willy hesitou por um momento. Depois juntou as mãos como se fosse rezar.

— A rua estreita é a Rue de La Huchette. No Quartier Latin.

— Sei onde é. Vai do Boulevard Saint Michel até a Rue Saint Jacques. Uma ruazinha torta. Cheia de pequenos restaurantes.

— Isso mesmo. No meu sonho, a rua está sempre deserta. Mas eu vejo as pessoas nas janelas iluminadas. Rostos deformados. Olhos enormes. Como se fossem peixes num aquário.

— E aí?

— Aí, eu sigo caminhando até a esquina do Boul'Miche. As calçadas largas estão vazias. Um único homem vende *posters* do Che Guevara. Ele está de costas para mim. Eu bato-lhe levemente no ombro, mas ele não se volta. Insisto novamente. Os ombros são largos. Tento virar o homem para ver-lhe o rosto. Mas não é preciso. Os *posters* são agora espelhos. Todos mostram o meu rosto e as minhas mãos segurando os ombros do Che Guevara.

Rafael ia fazer um comentário, mas dominou-se. Willy estava com os olhos fechados. A voz era mais rouca e grossa do que a sua voz normal.

— Assustado, eu caminho rápido até a esquina do cais. Muitos carros estão parados com os motores funcionando. Eu não ouço os motores. A sinaleira sobre a ponte muda várias vezes do vermelho ao verde. Os carros permanecem imóveis. Eu me apresso a atravessar a rua. O silêncio é forçado. Como se eu estivesse tapando os ouvidos. Mas os meus braços continuam balançando do lado do corpo.

Willy calou-se. Rafael aguardou alguns segundos e perguntou em voz calma:

— Faz frio no teu sonho?

Willy estremeceu e abriu os olhos. A voz voltou ao normal.

— Não... Acho que não. Mas o calçamento está brilhando. Como se tivesse chovido. Não. Não faz frio. Porque no meio da ponte eu me dou conta de que estou sem sapatos. Aí começa outro momento de angústia. Forço a mente e não consigo me lembrar onde os deixei.

— Quando tu estavas na ilha do presídio, tu me contaste que eles tiravam os cadarços dos sapatos de vocês.

— É sim. Tiravam os cadarços para a gente não poder correr.

— Pois então, os teus sapatos que desaparecem no sonho devem ter algo a ver com isso.

— Pode ser. Mas no sonho eu não consigo nunca me lembrar onde eu moro. Só consigo retornar até a Rue de La Huchette. E dali aos espelhos do Che Guevara. E assim muitas vezes. Até que desisto de achar os sapatos. Ainda estou no meio da ponte. Debruço-me na amurada para olhar o Sena. Olho já sabendo que o rio está seco. Os barcos encalhados numa areia muito clara. É a cena mais linda do sonho. Tento ficar ali mais um pouco. Firmo as mãos na beira da ponte, mas meus pés seguem caminhando. É aí que eu levanto a cabeça e vejo a catedral.

— A Notre Dame.

— Sim. À primeira vista, ela está iluminada como uma roda-gigante. Eu não gosto e pisco os olhos para as lâmpadas.

A catedral volta a sua iluminação normal, meio amarelada. Gosto das torres quadradas. Do rendilhado da fachada. A rosácea brilha como um olho enorme. Eu me sinto feliz. Caminho sem peso nenhum no corpo. E paro junto à estátua de Carlos Magno.

Willy fecha outra vez os olhos. Rafael impressiona-se com o roxo das olheiras. Com a magreza repentina do rosto.

– A estátua é aquela equestre?

A voz de Willy é novamente grossa e áspera.

– Estou a poucos passos da catedral. As portas estão fechadas. Meus pés descalços começam a caminhar outra vez. Paro diante da porta da direita. Vejo nitidamente todos os relevos. Espalmo as mãos e as aproximo da porta. Sei que basta encostá-las e a porta se abrirá. Mas não tenho coragem de prosseguir. Nunca sonhei o que me espera lá dentro. Começo a me sentir sufocado. Não consigo avançar nem recuar. São esses momentos que me estraçalham. E me fazem gritar.

Uma voz alegre desperta-os do sonho. Ana parecia feliz. O banho lhe fizera bem. Prendera os cabelos em coque. O vestido azul-claro era longo e amplo. As sandálias ainda pisavam leves no carpete.

– Bom dia, meus queridos! Mas que dia maravilhoso! E vocês dois com essas caras de velório.

Willy levantou-se para receber dois beijos estalados.

– Vamos tomar café? O nenê está morrendo de fome.

– Ele acordou? Até que enfim!

Rafael levou as duas mãos espalmadas até a barriga da esposa. Willy avançou rápido e segurou-o pelos ombros.

– Não! Não empurra a porta!

Por um momento, ficam imóveis. Ana olhando intensamente para o irmão. Willy sustentando o olhar. Rafael deixa cair as mãos. A campainha toca duas vezes. Ana respira fundo e sorri.

– É a Eunice. Graças a Deus que ela não faltou.

O Escort cinza metálico avança lento pela avenida Wenceslau Escobar. Carros apressados passam buzinando. Rafael segura o volante com a mão esquerda. Com a direita, aperta a mão de Ana. Mão pequena e áspera. Do tamanho exato para acomodar-se na sua.

– Não deixa a Maria Amélia forçar a barra.
– Como assim?
– Não deixa ela explorar demais a tua vida pessoal.

Willy concordou, do banco de trás.

– O Rafael tem razão, Aninha. Tu deves evitar as emoções fortes.

Ana virou-se para o irmão.

– Mas o meu livro é completamente pessoal. Para falar dele, eu tenho que falar em mim. Em todos nós.

Passam agora pelo Hipódromo do Cristal. Um ônibus obriga Rafael a sair do caminho. A fumaça entra pelas janelas do carro. Cheiro forte de óleo queimado. Ana tosse e empurra a mão do marido para o volante.

– É melhor tu guiares com as duas mãos, amor.
– Eu estou na minha mão. Eles é que são loucos.
– Está bem, querido. É que nós todos estamos muito nervosos.
– Eu não estou nervoso. Só sinto não poder assistir ao teu programa. Tentei transferir a aula, mas não foi possível.
– O Willy está aqui para me acompanhar. Não vamos fazer nenhum drama.

Rafael ia falar, mas calou-se. O Willy é que está precisando de companhia. Nunca vi o alemão nesse estado de nervos. Olhou discretamente pelo retrovisor. O rosto do amigo parecia tranquilo. Outro ônibus tomou conta do espelho. Rafael concentrou-se na direção.

Ana fechou os olhos e tentou imaginar o nenê dentro do útero. Sempre o enxergava cor-de-rosa. O rostinho molhado. As mãozinhas abraçando os joelhos. Será que ele é perfeito? Claro que é. O Dr. Renê acha que é homem. Mas pode ser menina também. Se for menina, vai se chamar Gisela.

O Rafael já concordou. Se for menino, pode ser Martim ou Silvestre. O Rafael não quer nenhum dos dois. Prefere um nome novo. Mas não é fácil de escolher. Ana abriu os olhos.

Passavam ao lado do estádio do Internacional. Ana lembrou-se da primeira vez que estivera ali. Foi logo depois que voltara para Porto Alegre. Rafael resolveu levá-la para almoçar na Churrascaria Saci. Diante do estádio, fez a pergunta que ela temia. Teve que confessar que era gremista. Diante da decepção de Rafael, acrescentou que era gremista e socialista. Foi a primeira vez que os dois riram juntos. Daquele dia em diante, não se separaram mais.

Dez horas da manhã. As luzes brilham fortes no rosto de Ana. Um rapaz de camiseta sem mangas ajusta-lhe o microfone na gola do vestido. Maria Amélia corrige a posição dos ombros e compõe o rosto, como se olhasse para um espelho. É uma morena de cabelo curto e longo pescoço. Toda a inteligência concentrada nos olhos grandes e móveis. A voz empostada, profissional:

– Estás pronta, Ana? O programa vai entrar direto. Depois deste comercial.

Ana sentiu um frio na barriga. Apertou mais o livro entre as mãos. Sentiu pouca saliva na boca.

– Tudo bem.

As câmaras já estavam posicionadas. A produtora ergueu a voz para pedir silêncio. Alguns segundos de expectativa. Willy pensou nas corridas de cavalos. Sentado no seu canto, enxergava a irmã de perfil. As poltronas verdes. O vaso de crisântemos amarelos. O vestido e os lábios vermelhos da apresentadora. Ergueu os olhos para o aparelho de TV que servia de monitor. Maria Amélia abriu um largo sorriso.

"Uma belíssima manhã de sol! Porto Alegre toda vestida com as flores dos jacarandás. Ao meu lado, Ana Schneider Khalil, autora do *best-seller Estórias do meu Moinho,* que acaba de receber o prêmio literário internacional Casa de las Américas."

– Bom dia, Ana Sem Terra.

— Bom dia, Maria.

O *close* desceu do rosto sereno para as mãos trêmulas, que seguravam o livro. A segunda câmara abriu para a cena de conjunto e voltou a fixar-se na apresentadora.

"Entre Nós é o nome do nosso programa. Uma entrevista semanal com as personalidades que fazem a notícia. Um programa intimista e revelador. Nada entre nós fica em segredo. Entre nós e os telespectadores, o único compromisso é com a verdade."

— Ana Schneider Khalil, o quanto de realidade há no seu livro?

Ana baixou os olhos. E ergueu-os rapidamente para a câmera.

— Tudo é realidade. Infelizmente, tudo aconteceu como eu contei. Como eu contei para mim mesma quando estava no hospital.

— Clínica psiquiátrica?

— Isso mesmo. Quase cinco anos de miséria para arrancar da mente. O corpo se recupera muito mais rápido.

— Queres dizer que a miséria é uma doença mental?

— Doença mental e física. Como também é doença o excesso de riqueza. Os dois extremos não conseguem viver uma vida normal.

— E o que é uma vida normal?

— Para mim é o direito de trabalhar, de descansar, de comer com apetite, de conviver com a família, de sonhar com o dia seguinte, de tomar banho de mar no verão e banho quente no inverno. Coisas assim.

— Por que o banho quente, Ana?

— Eu... eu aceitei a miséria no dia em que desisti da higiene pessoal. Não adianta fazer discursos, pregar ideologias para quem não pode tomar banho. Para quem não dorme em lençóis limpos. Por isso os ideólogos raramente saem das camadas mais pobres. São principalmente os intelectuais que lutam contra a pobreza. E muitas vezes lutam sem conhecimento de causa. Eu tenho um amigo...

— Qual o nome desse amigo? Aqui entre nós.
— Ele é muito conhecido na luta pela reforma agrária. É o advogado Bóris Cabrini.
— Já esteve aqui conosco. É um verdadeiro leão.
— Talvez. Mas ainda tem ilusões pouco carnívoras. Nas últimas eleições, ele não se conformava com a derrota da esquerda em algumas vilas. No Campo da Tuca, por exemplo. Ele não podia aceitar que os pobres votassem na direita. Eu acho que o miserável tem todo o direito de vender seu voto.

Um gongo soa bem alto. Ana estremece. Maria Amélia volta a ocupar sozinha a tela do monitor.

"Os pontos polêmicos da entrevista, assinalados pelo gongo, podem ser debatidos pelos telespectadores. Basta telefonarem para o número 45.0011. As perguntas e os comentários serão registrados e selecionados pelo computador. Na segunda parte do programa, a entrevistada responderá às perguntas dos telespectadores. Agora, um breve intervalo para a mensagem do nosso patrocinador."

Movimento e tosses na sala de gravação. Ana olha para Maria Amélia, que consulta o programa.

— Como está indo?
— A entrevista está ótima! E o nenê? Está se comportando?
— De vez em quando dá uns pulinhos.
— Se tu te sentires mal, é só me avisar. Nós interrompemos o programa na mesma hora.
— Não vai ser preciso.
— Então vamos em frente!

Willy acomoda-se melhor no banco. Cessa o som alto do comercial. Maria Amélia retoma a palavra.

"Todo livro tem uma estória. Os livros são concebidos, passam por curtos ou longos períodos de gestação, nascem perfeitos ou defeituosos. Podem ter longa vida ou já nascem mortos. Qual a estória do teu livro, Ana Sem Terra?"

A câmara se fixa no ventre de Ana. Nas mãos que seguram o livro. A capa mostra um grande moinho machucado pelo tempo.

— Ele não foi escrito para ser um livro. O moinho faz parte da minha infância. Da história da nossa família no Brasil. O médico queria que eu recordasse toda a minha vida. Resolvi escrever porque não conseguia falar. E comecei bem longe no passado. Contei a viagem da família Schneider no ano de 1826. Contei tudo da maneira como Gisela, a irmã que me criou, me contava. Não consultei nenhuma bibliografia. Depois contei a minha vida. Até recentemente.

A câmara recua. Ana coloca o livro sobre a mesinha baixa, ao lado dos crisântemos. Suas mãos estão calmas. A voz natural.

— Os alemães que chegaram ao Brasil não podiam possuir escravos. Também não tinham dinheiro para contratar mão de obra. As promessas do governo imperial tinham ficado no papel. A terra era arenosa. A mata cheia de feras. O idioma português incompreensível. A única lei do litoral sul era a do mais forte. Não conheciam o clima. Mas tinham de plantar para comer. Em Três Forquilhas a vida dos colonos foi muito mais dura do que em São Leopoldo. Faltava ali o grande mercado consumidor de Porto Alegre.

Ana pegou o livro de sobre a mesinha e abriu-o numa das páginas iniciais. Maria Amélia a olhava intensamente. Sabia calar-se nos momentos certos.

— Em 1828, um primo do meu ancestral Martin Schneider escreveu-lhe uma carta da Feitoria, hoje São Leopoldo. Vejam como ele tinha progredido em pouco tempo: "Em dois anos, consegui adquirir duas vacas com cria, dois cavalos, vinte suínos, mais de cem galinhas e dois cães de raça. Colhemos feijão branco e preto, banana, figo, milho, arroz, fumo, laranja, melão, melancia, centeio e trigo". E ele recebera apenas 48 hectares de terra para trabalhar.

— E ainda criaram a indústria de calçados.

— Exatamente. Primeiro começaram a fabricar arreios e correames. Com as sobras do couro, faziam chinelos e tamancos para uso próprio e dos vizinhos. Daí nasceu essa gigantesca indústria calçadista do vale do rio dos Sinos.

– E o moinho, quando foi construído, Ana?

– Entre os anos de 1830 e 1831. Martin Schneider construiu-o apenas com a ajuda da mulher Clara e da filha Ana.

– A primeira da família Schneider.

– É verdade. Nossos nomes vêm passando de uma para outra geração. Mas voltando ao moinho, é interessante notar o porquê da sua modernidade. O moinho era movido a água e se destinava a fabricar farinha de milho, o alimento básico dos imigrantes daquela região. Quem tinha escravos, como os fazendeiros criadores de gado, ainda usava pilões manuais. Mas os colonos foram trazidos ao Brasil para provarem que o trabalho livre era superior ao trabalho escravo. Essa a lição mais linda do nosso moinho. Vinha gente de longe com suas carroças cheias de milho. Ficavam por ali, embasbacados, vendo o moinho trabalhar. Graças a essas *novidades,* nossa família conseguiu sobreviver tão longe da capital.

– Longe, Ana? São menos de duzentos quilômetros de distância.

A câmara fixou o sorriso de Ana. Willy tranquilizou-se. Agora ela já se encontrou.

– Até bem poucos anos atrás, a viagem de Torres a Porto Alegre, nos meses de inverno, podia durar de três a quatro dias. Viajava-se de carroça, de barco, de trem, de carroça e de barco novamente. Hoje os turistas se queixam do asfalto esburacado.

– Que por sinal está horrível, hein, pessoal do DNER?

– Antes que chegassem as estradas, os imigrantes viviam muito isolados. Mas souberam fazer a terra produzir. E o asfalto trouxe a ganância por essas terras.

– Mas trouxe o progresso também.

– O progresso só existe quando se traduz em conquistas sociais. O progresso atual do Brasil faz mais vítimas do que uma guerra nuclear. Morrem mais crianças num ano na América Latina do que todas as vítimas de Hiroshima e Nagasaki. Mas a morte é lenta, silenciosa. A maioria do povo é vítima do progresso concentrador de riquezas. Destruidor de recursos naturais. Por mim, pode-se tirar essa palavra da bandeira nacional.

— E a palavra ordem, você deixaria?

— A ordem só é útil para quem não quer mudar essa situação degradante do Terceiro Mundo. As chamadas forças da ordem nada mais são do que forças da repressão. Quando os sem-terra invadem uma propriedade, todas as forças da ordem se mobilizam. O escândalo é geral. Mas as crianças podem morrer de fome num país com tanta terra sobrando. A morte, o sofrimento dos miseráveis não escandaliza ninguém. Por mim, podem tirar a palavra ordem da bandeira.

O gongo bate novamente. Ana sorri. A antiga beleza lhe volta ao rosto cansado. Maria Amélia atrai para si a câmara frontal.

"Dois gongos em vinte e três minutos de entrevista! Recordamos aos telespectadores que os pontos polêmicos deste programa podem ser debatidos entre nós. Basta ligar para o telefone..."

Willy levantou-se do banco e saiu da sombra. A produtora barrou-lhe o caminho.

— Onde o senhor vai?

— Falar com a minha irmã.

— Agora não é possível. Ela está bem. Pode ficar descansado.

Willy voltou resignado para seu lugar. Depois do comercial, o monitor mostrava uma imensa lavoura de trigo. Filmagem aérea. Dentro do pequeno avião, Maria Amélia veste um casaco de couro preto. A câmara move-se um pouco. Ouve-se forte o motor do avião.

"Estamos sobrevoando uma lavoura de trigo da região do planalto. Na primeira tomada de cena, observamos várias casas entre as plantações. Mas ninguém mora mais nessas casas. São taperas fabricadas pela concentração de terras nas mãos dos grandes lavoureiros. Há bem poucos anos, essas casas e galpões pertenciam aos colonos. Agora são ilhas abandonadas pelos moradores. Onde estão vivendo esses colonos?"

A cena que ocupa a tela mostra um depósito de lixo. Crianças imundas disputam detritos com os porcos. Até vacas procuram o que comer. Com sacos às costas, homens e mulheres recolhem as sobras apodrecidas. A câmara passeia entre o lixo e fixa-se num par de botas. Sobe lentamente pelas calças Lee, pela blusa branca. Fixa-se no rosto enojado de Maria Amélia.

"Aqui estão os colonos daquelas taperas. Aqui estão os descendentes dos imigrantes alemães e italianos, dos portugueses dos Açores, dos negros trazidos à força da África e dos índios que foram os donos da terra. São as crianças brasileiras da Grande Porto Alegre, uma das cidades mais ricas do Brasil. Seus filhos são os trombadinhas de hoje e os assaltantes de amanhã. Este é o povo gaúcho verdadeiro. Por que deixaram suas casas, seus bichos, suas plantações? Por que cansaram de trabalhar nas estâncias da fronteira? Quem são esses desgarrados do meio rural?"

A câmara passeia agora pelo cais do porto. Passa lentamente pelo mercado ao ar livre da Praça XV. Fixa-se no rosto dos mendigos, dos camelôs. Acompanha o roteiro da canção "Desgarrados", grande sucesso da música nativista:

Eles se encontram no cais do porto, pelas calçadas
Fazem biscates pelos mercados, pelas esquinas.
Carregam lixo, vendem revistas, juntam baganas.
E são pingentes nas avenidas da capital.

Eles se escondem pelos botecos entre os cortiços
E pra esquecerem contam bravatas, velhas estórias
Então são tragos, muitos estragos por toda noite
Olhos abertos o longe é perto, o que vale é o sonho.

Sopram ventos desgarrados, carregados de saudade
Viram copos, viram mundos
Mas o que foi, nunca mais será

Mas o que foi, nunca mais será
Mas o que foi, nunca mais será.

A cena volta rapidamente para o estúdio. Fixa o rosto emocionado de Ana. As lágrimas que lhe brilham nos olhos. Volta a fixar-se no rosto maquiado, profissional, de Maria Amélia.

– Nunca mais será, Ana Sem Terra?

Ana refletiu alguns segundos.

– A UDR chama os sem-terra de desocupados. A TFP paga matérias enormes nos jornais incentivando os fazendeiros a matarem os posseiros. A luta é muito desigual. Essa canção dos desgarrados me lembrou Encruzilhada Natalino. Ela é daquela época, não é?

Maria Amélia consultou a planilha.

– Ganhou a calhandra de ouro da Califórnia da Canção de 1981. A letra é de Sérgio Napp e a música de Mario Barbará Dornelles.

– Natalino deve ter inspirado muito os compositores. É um marco da retomada da nossa luta. Ali os colonos começaram a saga dos acampamentos. Aprenderam a viver juntos. Muitos pensam que foi a Igreja, que foram os políticos de esquerda que organizaram os colonos. Nós sabemos que não foi assim. Não havia nenhum modelo importado de Cuba ou da Nicarágua. A organização dos acampados surgiu como uma necessidade de sobrevivência. Depois de Natalino, ela foi usada na fazenda Annoni e em outros Estados do Brasil.

– Como funcionam os acampamentos, Ana?

– Em primeiro lugar, ao contrário das favelas, eles não cheiram mal. Qualquer dona de casa da classe média pode entrar numa barraca sem torcer o nariz. Fogões limpos, panelas brilhando. Toda a comida é dividida harmonicamente entre as famílias.

– De onde vem essa comida? Do governo?

– Em momentos de crise, pode acontecer. Mas além das doações de entidades, igrejas, sindicatos, existem as doações dos agricultores que já foram assentados, que ganharam a luta. Além de que muitos acampados continuam trabalhando de peões.

— Muitos afirmam que o assentamento de colonos é um fracasso.

Ana voltou a sorrir.

— Dizem que eles comem as vacas em vez de tirarem o leite, não é? Que só querem terra para vender e voltar para a cidade?

— Isso mesmo. Dizem que são falsos colonos na sua maioria. Instigados por agitadores profissionais.

— Dos índios dos Sete Povos também se dizia que comiam os bois do arado. Mas foram capazes de construir catedrais... Podemos mostrar a filmagem de Nova Ronda Alta?

— Claro. Mas depois dos comerciais.

Poucos minutos depois, o monitor mostra a vista aérea de uma terra coberta de milharais. Do lado esquerdo, as águas tranquilas de uma barragem. A imagem desce para uma estrada de terra vermelha. Depois do corte, a câmara segue filmando ao nível da estrada, acompanhando os sacolejos de uma caminhonete. Passa por uma pocilga bem cuidada e por uma pequena escola. Imobiliza-se ao lado de um campo de futebol. Passeia pelas casas que o cercam, como se ele fosse uma praça. Casas de alvenaria e de tábuas. Todas com grandes terrenos em volta. Um grupo de homens e mulheres atravessa o campo de futebol. Correria de crianças. Um *close* de Maria Amélia com a jaqueta de couro negro. O microfone na mão.

"Aqui é o assentamento de Nova Ronda Alta, feito em terras compradas pela Igreja Católica em 1982. São 108 hectares, onde vivem dez famílias de ex-acampados de Encruzilhada Natalino. Depois de cinco anos de trabalho, a impressão que temos é de muita organização. Sabemos que vivem aqui mais de cinquenta pessoas, pertencentes a essas dez famílias. Vamos entrevistar agora um dos moradores de Nova Ronda Alta, chamada por alguns de 'Oitavo Povo das Missões'."

A imagem mostra um homem aparentando pouco mais de trinta anos. Alto e de pele clara, queimada de sol. Veste um casaco pesado sobre a camisa aberta ao peito. Mas está de bermudas e chinelos. A câmara volta a fixar-lhe o rosto de traços regulares. O sorriso de bons dentes.

– Senhor Calegari, 108 hectares não é pouca terra para dez famílias, mais de cinquenta pessoas, com as crianças?

A voz do colono guarda um nítido sotaque italiano.

– Podia ser, se nós não trabalhasse junto. Quando recebemo esta terra, só tinha aqui resto de barraca, pedaço de lona preta, sarrafo cheio de prego. Mas tinha a escola e a professora era do nosso grupo, casada com um colono. Tinha luz na escola e um poço artesiano. Aí nós fizemo uma reunião pra dividi a terra. Ia tocá um pouco mais de 10 hectares pra cada família. Se cada um fizesse a casa no seu pedaço de terra, tinha que puxá a luz daqui de longe. A mesma coisa com a água. Ninguém ia tê dinheiro pra puxá os cano daqui até a sua casa. Foi quando nós nos decidimo pela agrovila.

– Quem decidiu? Os padres?

– De padre só tinha o padre Arnildo e ele tinha toda a Ronda Alta pra cuidá. Nós decidimo por nós mesmos. Até hoje nós fazemo uma reunião nas quartas-feiras. Pra resolvê os problemas.

– Vocês cultivam a terra juntos?

– Desde o começo, nós formamo uma associação. Nós já tinha a experiência de Natalino. De vivê junto num acampamento e debaixo do pau. Aqui a terra era nossa.

– O Curió foi violento com vocês?

A câmara fixou outro colono. Mais baixo e mais moreno.

– Fez misérias com a gente. Mas ouvi dizê que se arrependeu.

Maria Amélia puxou o microfone para si.

– Tem muitos arrependidos de 64. Pena que não façam nada para consertar o estrago... Como é que vocês vivem aqui? Como trabalham?

Voltou o *close* ao rosto de Calegari.

– Nós plantamo soja, milho, criamo porcos e ainda temo umas cinquenta cabeças de gado.

– Tudo pertence à associação?

– Tudo nós ganhamo junto. Nós elegemo um responsável pela lavoura de milho, outro pela de soja, tem um pra cuidá do gado e outro da pocilga. O responsável recebe ajuda de todos quando o serviço aperta. Tem também dois que cuidam do dinheiro. Pagamo as conta, compramo o que precisa e dividimo o que sobra entre a dez família.

– Nunca houve briga pelo dinheiro?

– Até hoje não. No começo, tivemo que fazê empréstimo no banco pra plantá. O dinheiro que sobrava era muito pouco. Mas aumentamo a pocilga, que agora tá rendendo bem. Deu pra construí algumas casa nova. Tudo no mutirão.

Maria Amélia entra na casa dos Calegari. A sala limpa. Os móveis bons. Televisão, geladeira, máquina de costura. Uma mulher morena com uma criança no colo.

– Como vivem as mulheres em Nova Ronda Alta?

– Agora vivemos bem. Cuidamo das criança, da casa, da nossa horta. Quando tem que colhê, nós ajudamo.

– E as crianças, também trabalham?

– As criança só têm obrigação de estudá. Se elas trabalharem numa hora de aperto, a associação paga um salário pra elas. A escola aqui só tem curso primário. Os mais grande têm que i estudá em Ronda Alta. E ajudam no trabalho quando podem pra pagá a condução.

– E quando eles crescerem? Vai ter terra para eles?

– Isso só Deus sabe. A terra é dele.

Novo corte sobre os milharais e a cena volta ao estúdio. O rosto alegre de Ana. A voz profissional de Maria Amélia.

– Nova Ronda Alta é mesmo um sucesso. Por que não é mais conhecida do grande público?

– Porque não interessa aos inimigos da reforma agrária que essas coisas sejam conhecidas. Há poucos dias, o Movimento dos Sem-Terra publicou o comparativo de um assentamento em Cruz Alta, antes e depois da chegada dos colonos. Em 3.100 hectares viviam, antes da desapropriação, quatro pessoas e 800 cabeças de gado. Durante um século, nada evoluiu por ali. Agora, além de 800 cabeças de gado a mesma terra tem 87 famílias, num total de 450 pessoas. Criam porcos, aves, produzem leite, as lavouras têm dado mais de 100 mil sacos de grãos por ano, os colonos conseguiram comprar tratores, colheitadeiras, construíram casas, escola, um clube, oficinas. E ainda deixaram 25 hectares de reserva florestal.

– E ninguém sabe disso.

– Quase ninguém. Mas a fábula do colono que comeu a vaca leiteira todos sabem. O que interessa é falar nas invasões. Na propriedade inviolável.

Ana sentiu-se ofegante. A câmara fixou a palidez do seu rosto. Maria Amélia apressou-se a encomendar os comerciais.

– O que foi, Ana? É o nenê?

– Acho que rompeu a bolsa... estou toda molhada.

– Meu Deus! Vamos chamar uma ambulância.

– Primeiro eu preciso de uma toalha... Posso... posso ir para o hospital num carro comum... Maria Amélia?

– O que foi?

– Não deixem de botar o *teipe* da marcha dos sem-terra até Porto Alegre.

– Prometido. Como é o nome do teu médico?

– Dr. Renê. Hospital Moinhos de Vento.

Willy conseguiu vencer a resistência da produtora e subiu no estrado.

– O que foi, Aninha?

– Acho que o teu sobrinho está chegando. Fica aqui do meu lado. Estou muito assustada.

Willy sorriu. O rosto tranquilo.

– Vai nascer um menino moreno como o Rafael.

– Que lindo! E não vai doer muito?

– Não vai. Eu rezei para Nossa Senhora.

Alegrete
Inverno de 1990

A catedral iluminada ofuscou os olhos de Willy. Mas ele sabia como reduzi-la à sua luz mais fraca. Sabia tudo daquele antigo sonho. Olhou outra vez para os pés descalços. Forçou a mente para recordar onde deixara os sapatos. Mas não lembrava onde dormira naquela noite. Firmou as mãos na amurada da ponte. Olhou com prazer para o leito seco do rio. As areias brancas não podem ser do Sena. São as areias do Ibirapuitã. Bem no lugar onde nós fazíamos nadar os cavalos. Onde estão os meus sapatos? A mente angustiada retorna à ruazinha torta. Os rostos afogados seguem olhando pelas janelas. O rosto de Bóris Cabrini. Os olhos arregalados. O nariz sangrando. Willy acelera o passo. Chega outra vez na calçada larga do *boulevard* Saint Michel. O vendedor ambulante esperava, de costas para a mesma esquina. Pendurados na parede, encostados ao nível da calçada, estavam os *posters* do Che Guevara. A boina estrelada. Os olhos tristes. Willy colocou as mãos nos ombros do guerrilheiro. Tentou fazê-lo dar volta. Mas ele não voltaria mais.

Os dois rostos se aproximam nos diversos espelhos. Ambos estão pálidos e cadavéricos. Willy se assusta da própria imagem. E corre descalço até a esquina do cais. A noite é estrelada. Os carros estão todos parados diante da sinaleira. As ruas brilham como depois da chuva. O sinal muda do verde para o vermelho. Os carros continuam imóveis, com os motores em funcionamento. Willy não ouve nenhum som. O sinal muda de novo. O padre atravessa a rua e caminha sobre a ponte. Agora sim pode debruçar-se e olhar com prazer para o leito do rio. Bem próximo, um *bateau-mouche* está adernado, encalhado na areia fina. A areia brilha ao luar. Willy quer ficar ali, mas seus pés seguem caminhando. Ergue a cabeça e olha para a catedral. Desta vez, desiste de procurar os sapatos. Fecha os olhos para apagar as luzes da roda-gigante. Por um momento, a catedral fica sem uma torre. Igual à das ruínas de São Miguel. Mas logo se recompõe na imagem maciça da Notre Dame. A fachada bem alta no céu. Os relevos banhados numa luz amarelada. Willy caminha em direção à estátua de Carlos Magno. Cavalo e cavaleiro parecem avançar a galope em sua direção. Mas ele sabe que estão parados. Sabe também que irá parar, ofegante, junto ao pedestal. Dali, ele deve dar os passos decisivos até a porta fechada.

Respira fundo e começa a caminhar. Sente o relevo do chão nos pés machucados. A ausência de som dói-lhe nos ouvidos. Willy estende as mãos e as imobiliza, quase a tocar a porta. A mente o empurra para frente e o corpo recua. Sente o choque elétrico percorrer-lhe o cérebro. Ouve as gargalhadas dos torturadores. A luz azul a lhe brotar dos cabelos. Faz tudo para não gritar. Não quer acordar os outros dentro da barraca. Ana custou muito para dormir. Ficou conversando com Alberto até tarde. E o pequeno Silvestre ainda está com febre. Willy começou a rezar. Avançou um pouco mais as mãos espalmadas. Ave Maria, cheia de graça, o Senhor é convosco, bendita sois vós entre as mulheres e bendito o fruto de vosso ventre, Jesus. Santa Maria, mãe de Deus, rogai por nós pecadores, agora e na hora de nossa morte. Salve Rainha, mãe de misericórdia. Rosa mística, rogai por nós.

A porta da catedral abre-se ao primeiro contato. Cheiro de incenso, de flores murchas. Velas brilhando nos altares laterais. Na coluna que se curva graciosa no alto da nave, brilha a estátua de Notre Dame. Willy ergue os olhos para a imagem da santa. Estarrecido, reconhece o rosto de Marcela. A antiga emoção lhe enche os olhos de lágrimas.

Marcela sorri. A coroa apoiada sobre os cabelos cacheados. O padre ergue-se e foge pelo corredor central. Rompe alto o som do grande órgão. Um vulto barra-lhe o caminho. A batina surrada. O rosto redondo querendo falar. Padre Alberto? É o senhor? As palavras saem pelos lábios apertados. Eu sou o alfa e o ômega. O princípio e o fim. Padre Alberto!

PADRE ALBERTO! Este é o princípio ou o fim? O vulto recua na escuridão. Cala-se a música do órgão. Willy tropeça nos bancos. PADRE ALBERTO! VOLTE! Me responda! PELO AMOR DE DEUS! A luz de uma vela cresce diante de seus olhos.

– O que foi, Willy? Estavas chamando pelo Alberto?

Estonteado, o padre sentou-se na beira do catre.

– O padre Alberto está aqui? Preciso falar... com ele. Preciso saber... agora.

Ana apoiou o castiçal no caixote que servia de mesa de cabeceira. Usava uma camisola comprida e um pulôver de lã. Atrás dela, um homem alto com um cobertor sobre os ombros. O rosto imerso na escuridão.

– Quem é ele?

– O Alberto, nosso sobrinho. Tu estás com febre, Willy?

Ana sentou-se também na beira do catre. Apoiou a mão na testa do irmão. Willy sacudiu a cabeça.

– Não estou com febre. Foi o pesadelo, outra vez.

A luz da vela ilumina agora o rosto de Alberto. O cabelo louro cortado rente ao crânio. Uma cicatriz bem visível na face esquerda. Os braços cruzados no peito. Grande e calado como o pai.

– Desculpa ter te acordado, Alberto. Tu estás cansado da viagem.

– Tá bem. Eu tava mesmo com muito frio.

Ana levantou-se e ergueu os olhos para o sobrinho.

– Queres um café quente? Tem na garrafa térmica.

– Obrigado. Tou com a minha pinga do lado da cama.

Willy aproximou o relógio da chama da vela.

– Quatro e quinze. O Rafael não voltou da cidade?

– Ainda não.

– O seu Silvestre deve estar muito mal. Se ele não voltar até o clarear do dia, é melhor nós irmos até a Santa Casa.

Ana aproximou-se do berço onde dormia o filho. O cabelo escuro muito crespo. Ajeitou as cobertas com mão suave e virou-se para o irmão. A luz da vela brilhava contra a lona preta da barraca.

– Eles não vão nos deixar entrar no hospital. O Gilson botou até um guarda na porta do quarto.

Willy baixou a cabeça. Alberto ergueu a sua um pouco mais. O alto dos cabelos quase tocando na trave horizontal da barraca.

– Quem é esse cujo?
– É o marido da Marcela, irmã do Rafael. Coronel da reserva do Exército.
– E daí? O que ele apita?
– Ele que está criando toda esta confusão. Depois que o seu Silvestre adoeceu, ele adonou-se da estância. Ele e o pessoal da UDR.

A voz de Alberto ganha um cantado meio nordestino.

– Quantos home tem aqui no acampamento?

Foi Willy quem respondeu. Olhando firme no rosto do sobrinho.

– Nós somos gente de paz.
– Quantos tão no acampamento?
– Mais de mil pessoas. A maioria mulheres e crianças.
– Quantos home de barba na cara?
– Uns duzentos.

Alberto acomodou melhor o cobertor nos ombros largos.

– E ainda se diz que gaúcho é valente.

Willy irritou-se.

– Não é questão de valentia. O coronel está com a lei do lado dele.

– Ainda tem disso por aqui? Lá no Norte nós pendura os macaco pelo rabo. Com farda ou sem farda.

Pipocar de tiros ao longe. Ana arregala os olhos. Os três ficam em silêncio. Um matraquear de metralhadora. Alberto dilata as narinas.

– Tem gente caçando gente.

Ana olha para o rosto duro do sobrinho.

– Não serão foguetes? A cidade é perto. E hoje é dia de São João.

Mais uma rajada de metralhadora. Willy abaixa-se para procurar os sapatos.

– O Zé Matungo saiu com um grupo para buscar carne. Deve ter topado com o pessoal do coronel.

Ana botou a mão no ombro do irmão.

– Deixa que eu vou com o Alberto. Tenta dormir mais um pouco. Se tiver notícia ruim, a gente te chama.

Willy hesitou um momento. O sonho o atraía para a cama. Preciso saber. Agora que eu abri aquela porta. Eu preciso saber. O padre Alberto tem que me dizer a verdade.

– Deita, *Schatz*. Hoje é domingo. Vai ser um dia duro para ti.

Ana soprou a vela. O cheiro do sebo levou-a de volta à infância. Estava deitada na cama ao lado de Gisela. Heidi e o bebê dormindo no mesmo quarto. A casa trancada. Todas as janelas pregadas com sarrafos. Ana procurou a mão grande e áspera do sobrinho.

– Vamos, Alberto. Eu conheço o caminho.

Continuou a pensar no dia do enterro do pai. O bebê todo enrolado num pano azul. O rostinho vermelho contorcido numa careta. Era difícil acreditar que aquele homem tinha sido tão indefeso. Como o pequeno Silvestre, que ressonava.

Ana desviou-se do berço e largou a mão de Alberto. Tateou sobre a cama de casal. Pegou o pala de lã e enfiou-o pela cabeça. Sentiu-se mais pesada e segura de si. O pala era de Rafael.

Contornou a cama baixa e afastou a lona que servia de porta. A noite era estrelada. Sentiu frio nos cabelos. Perto da barraca de reuniões, duas luzes de lanterna contra o chão. Vozes abafadas. Um pouco mais longe, o brilho avermelhado de umas brasas. O que sobrara da grande fogueira de São João. Ana sentiu cheiro de cachaça e olhou para trás. Alberto segurava a garrafa perto da boca.

— Esconde isso, por favor. A gente faz tudo para não dar bebedeira no acampamento.

— Não sô pinguço. É este frio dos diabo.

Alberto esvaziou a garrafa em largos goles. Compôs a garganta e jogou a garrafa para dentro da barraca.

— Fumá se pode por aqui, *Tante Ana*?

Tante Ana. Nunca mais ouvira ninguém chamá-la assim. Desde que Alberto fugira para o Araguaia. Desde que as sobrinhas tinham sido mortas. Ana afastou da mente a imagem das duas cabecinhas louras. O ruído da goteira na bacia de lata começou a crescer dentro do seu cérebro. Alberto acendeu o cigarro. Cheiro de fumo e couro molhado. O cheiro dos jagunços do Tapajós. A luz de uma lanterna ofuscou-lhe os olhos. Ana ergueu a cabeça e avançou em passo firme.

— És tu, Darci?

— Não senhora, sou o Mariano.

Outra voz, com sotaque italiano, completou:

— O Darci tá no mato com o Zé.

Ana e Alberto juntaram-se ao grupo junto ao braseiro. Homens e mulheres falando com vozes roucas. Novas luzes fracas foram surgindo pelo acampamento. Um galo cantou perto. Outro respondeu ao longe.

Na casa grande da estância, Gilson terminava de vestir as bombachas. A lâmpada de cabeceira iluminava a cama de casal, suas guardas de metal polido. Com o ouvido atento, sentou-se pesadão na beira da cama e enfiou as botas. Respirava com um pouco de ruído. Do lado da lâmpada, sobre a mesinha de tampo de mármore, estava o revólver Colt, de Silvestre. Todo preto, com o cabo amarelado de madrepérola. Gilson fixou na arma seus olhos avermelhados. A Marcela não gosta que eu use o Colt do velho. Mas hoje é o meu dia. Não preciso esperar mais. Empunhou o revólver, esvaziou o tambor e examinou as cinco balas 38. Aquele velho maníaco nunca usou a bala do cano. Da lateral do cinto de couro, retirou mais uma bala e completou a carga. Empunhou por um momento o revólver, gostando da lisura da madrepérola. Enfiou-o finalmente no coldre e saiu do quarto sem apagar a luz.

Gilson tateou a parede da sala de jantar e encontrou o interruptor. Cheiro de bebida e cigarro. A lâmpada iluminou as cadeiras em círculo perto da lareira. A mesa baixa atulhada de cinzeiros, copos, duas garrafas vazias de uísque. Na outra extremidade da sala, uma segunda lâmpada com abajur bordado mostrava a mesa posta para o café. Louça branca e verde, arrumada para duas pessoas. Gilson olhou a mesa por alguns segundos. Não demora o Thiago chega de Agulhas Negras. E nós seremos três. Com o garotão aqui, a Marcela vai ficar mais alegre. E até que ele chegue, eu já corri esses vagabundos da beira da estrada.

Avançou a passos largos para o *hall* de entrada e abriu a porta do escritório de Silvestre. Cheiro leve de couro curtido e picumã. Gilson olhou contrariado para as paredes. Vou dar todas essas armas velhas para o CTG. O cheiro do velho tá entranhado em tudo por aqui. A única lâmpada amarelada iluminava apenas o recanto da lareira. Nenhum sinal de fogo recente. A Marcela não gosta que eu use este escritório. Nem nessas porcarias de taças a gente pode mexer. Olhou para o barrete frígio desenhado na parede da lareira. Para o espetinho do assado da manhã. O velho acordava às quatro da madrugada e ficava aí tomando mate como um bugre. Assando uma paleta de ovelha. Passou noventa anos vivendo quase como um peão. Trabalhando como uma mula.

Batidas fortes na porta da rua. Gilson abriu a tranca de ferro e apertou um dedo. Abafou o palavrão já na cara do capataz. O ar frio entrou com cheiro de estrume de cavalo. O homem segurava um lampião de gás na altura das botas.

– Ouviu os tiro, patrão?

– Claro, não sou surdo. Onde é que você andava com esse lampião?

– Tava dando uma bombeada aí por tudo.

– Por que não acendeu todas as luzes?
– O seu Silvestre não gosta que...
Gilson olhou feio para o rosto mal barbeado.
– Olha aqui, Camacho, eu não te promovi a capataz para você vivê falando no velho. Estamos entendidos?
– Sim senhor.
– Onde é que você vai agora?
– Acendê tudo as luz, patrão.
– Primeiro me dá notícia dos homens. De que lado foi o tiroteio?

Camacho ergueu o braço sob o poncho e mostrou o lado esquerdo da casa.
– Acho que os acampado batero nos boi da barra do Capivari.
– Filhos da puta!

Camacho apagou a luz do liquinho. Ergueu outra vez o braço para a esquerda.
– Os nossos home tão voltando. Olhe lá a luz da camioneta.

Gilson esfregou as mãos geladas.
– Acende as luzes do galpão e da cabanha. Depois volta aqui e me faz um fogo grande na lareira do velho.

Os dois faróis avançavam aos sacolejos em direção à sede da estância. Luzes foram se acendendo no alto da coxilha. Os colonos pararam de conversar. Ana também olhou para as luzes. Parece um bolo de aniversário. Que saudade do seu Silvestre! Dos passeios com ele pela horta e pelo pomar. Ele gosta tanto daqui. Ele conhece cada bicho, cada árvore. Se ele nos chamou, é porque queria que a gente viesse. Eu fiquei louca de alegria. Agora dizem que foi tudo mentira. Mas ele sempre foi um homem de palavra. Tem gente que abusa dos velhos. Coitadinho, já sofreu tanto naquele hospital. E nós aqui esperando que ele melhore. Que ele volte para nos ajudar.
– Que auto será aquele?

— É a camionete dos ronda. Só pode sê.
— É a tal que tem metralhadora.

As vozes voltaram a falar ao mesmo tempo. Domínio principalmente das mulheres. Nuvens baixas começaram a cobrir o céu estrelado.

— Acho que tão trazendo os morto do mato.
— Tu nunca te esquece da Santa Elmira, não é, Maria?
— Tu sabe por que, não sabe? Não mataro tudo a gente porque Deus não quis. Até o Frei Sérgio eles quebraram todo.
— O Amantino não devia tê ido. Vai me deixá com cinco filho pra criá.
— Vira essa boca pra lá, Evinha. Os nossos home deve tá voltando também.

Mariano tossiu e cuspiu nas brasas.

— A gente tinha que buscá carne. Tem criança com fome no acampamento.
— Mas agora eles vai nos corrê daqui como ladrão.

Ana mantinha-se calada. Alberto tocou-lhe no ombro. Ficara todo o tempo atrás dela. Os colonos olhavam para ele com desconfiança.

— Quem é que manda aqui nessa joça?
— Tu dizes, quem é o chefe do acampamento?
— Isso mesmo. É o teu marido?
— De jeito nenhum. Ele tá vivendo aqui de bom e teimoso que é. Metade dessas terras vão ser dele um dia. Como herança.
— Qué dizê que se o velho espichá as canela, vocês pode pegá metade disso tudo?

Ana ergueu os olhos para o sobrinho. A fisionomia descontente.

— Se isso acontecer vai ser pior para nós. O Gilson vai segurar o inventário por muito tempo. Essa gente da UDR tem muita força.

Alberto insistiu com a mesma pergunta.

— Lá no alto eu sei quem é que manda. É esse tal coronel. E aqui embaixo, *Tante Ana,* quem que manda de verdade? É tu?

— Eu? Deus me livre! Quem manda aqui são todos os acampados. Quem decide tudo é a coordenação do acampamento. Cada um tem a sua função. Tu não entendes de democracia. Tu ficaste demais nos garimpos.

Alberto ergueu a voz de propósito.

— Só me responde uma coisa mais. Quem é que botou vocês nesta arapuca? O véio que tá morrendo?

Ana não respondeu. Silêncio entre os colonos. Um homem baixinho, com um boné de orelhas, falou com voz estridente.

— Pra mim a culpa é dele, sim senhor. Nós tava mal no Rincão do Ivaí. Mas tava seguro.

Uma mulher concordou.

— Ninguém dava tiro na gente.

— Ninguém, é? E o pobre do Ivo Lima, que tá morre não morre com um balaço na cabeça?

— Isso foi lá em Cruz Alta. Os brigadiano tavam defendendo os supermercado.

— E tu tá defendendo os que dá tiro na gente?

O baixinho esganiçou mais a voz.

— Eu vim pra cá pensando que ia lavrá a minha terrinha. Tô cansado de sê corrido como cachorro.

Uma mulher chegou com uma braçada de galhos secos e atirou-a nas brasas. As chamas não demoraram a crescer. O baixinho continuou a falar em tom queixoso. As asas do boné como as orelhas de um perdigueiro.

— Na reunião, eu voto pra gente voltá pro Ivaí.

A mulher que trouxera a lenha olhou-o com desprezo.

— Aquilo lá no inverno é uma geladera.

— E a gente sempre esperando a boia do governo.

— Aqui, mal ou bem, sempre tem tido carne.

Uma voz triste secundou a frase.

— Porque o meu marido arrisca o couro pra carneá os boi.

Ana olhou para a mulher que falara. O rosto meio iluminado pelas chamas. A boca outra vez apertada na bomba do chimarrão.

— Não tinha te visto, Maria de Fátima. A que horas saiu o Zé Matungo?

— Logo despois da meia-noite.

Outra mulher aproximou-se da fogueira. Gorda e de rosto alegre.

— Bom dia, Dona Ana. Bom dia pra todos.

— Bom dia, Clotilde. O Ataíde foi com o Zé Matungo?

— Foi sim. O Zé nunca sai sem ele. Os dois junto conhece esses mato desde pequeno.

— Tu acha que houve alguma coisa ruim?

— Por causa dos tiro? Claro que não. Eles sempre toca uma ponta de boi pro lado dos guarda. Enquanto tão fugindo pro outro lado.

Mariano voltou para junto do grupo. O chapéu de palha enterrado na cabeça.

— Agora já sei quem foi com o Zé Matungo. Foi o Ataíde, o Darci, o Leonir, o véio Marquísio, o Portela e o Amantino. Acho que só.

— Como é que tu sabe?

— Contei as mulher deles na volta do fogo.

Na estância, Gilson tirou os olhos das chamas e encarou o homem sentado a seu lado. Rosto chupado. Cabelo grisalho e duro. A aba do poncho atirada sobre um ombro. As botas malcheirosas fumegando.

— Quantos bois eles mataram, seu Ércio?

A resposta veio meio engasgada pela tosse.

— Mataro três. Mas não tivero tempo de carneá tudo. Só levaro um boi e um quarto. Acho que fugiro de bote.

— Vocês acertaram nalgum deles?

— Acho que não.

O homem tossiu de novo. Hesitou em cuspir dentro da lareira. Engoliu o cuspe, levantando o pomo de adão.

— *Bueno*, nós...

Gilson passou a mão pelo cabelo também grisalho. A gola do pulôver sustentando um começo de papada.

– Nós o quê?

– Acho que nós matemo dois boi. Ferimo uns quantos mais.

O coronel ergueu-se do banco.

– Vocês tão loucos?

Ércio sumiu-se mais dentro do poncho.

– O pessoal ainda tá meio cru na metralhadora. Os bicho ia tudo saindo junto do mato.

– Os ladrões atiraram em vocês?

– Não senhor. Se eles atirasse, a gente sabia o lado que eles tava.

Gilson virou-se para o capataz, que ouvia tudo calado.

– Vai acordá todo mundo no galpão, Camacho.

– Tá tudo mateando, patrão.

– Hoje é a noite mais comprida do ano. O Zé Matungo é homem para voltar e pegar mais carne.

Ércio ergueu os olhos amarelados.

– Nóis truxemo o que deu na camionete.

– É melhor voltarem lá com o caminhão da cabanha. Agora mesmo. Vamos dividir a carne com o pessoal da Brigada.

– Sim senhor.

– O Camacho vai a cavalo com dois peões. Tragam a boiada toda, para ver se tem algum ferido de bala. Eu vou...

O telefone tocou sobre a escrivaninha. Gilson olhou para o relógio cuco. Quase cinco e meia. Deve ser a Marcela. Será que o velho...

– Podem ir agora! E puxem bem a porta.

Sentou-se atrás da escrivaninha e ergueu o fone.

– Alô! Sim, sou eu. Como está o teu avô? Ah é? Que bom. Um momentinho, Marcela.

Botou a mão no fone e engrossou a voz.

– O que é que vocês dois estão esperando? O velho ainda tá vivo. Vamos tocá o serviço pra frente.

Os homens saíram apressados.

— E aí, Marcela. Aqui tivemos problemas. É, os vagabundos nos mataram três bois, agora há pouco. Tocamos fogo neles. O quê? Não. Ninguém foi ferido. Eu nem saí de casa, querida. Claro. Acho que tem tudo para o café. Não. O remédio eu ainda não tomei. Vou tomar, querida. Olha, o Thiago ligou ontem à noite. Para ti também? Pois é. Ele vem em julho. Ir no hospital? Eu não posso, Marcela. Eu não quero encontrar o Rafael. Eu não quero e se acabou! Tchau, Marcela. É melhor assim.

Marcela desligou o telefone e agradeceu ao atendente de plantão. Saiu do escritório e caminhou pelo corredor deserto. Portas fechadas. A mesma tosse insistente ao lado da enfermaria. Cheiro de desinfetante. De pinho sol. As botas escorregando no piso lustrado. Os saltos fazendo ruído. Marcela caminhou com mais cuidado. Dobrou a esquina do corredor. Diante da porta da suíte, um homem cochilava. Sentado numa cadeira. Marcela olhou-o com irritação. O Gilson vai acabar botando essa gente até dentro do quarto. Parou na frente do homem e sacudiu-lhe um ombro. O guarda abriu os olhos sonolentos, a mão direita sobre o revólver.

— O que foi, dona Marcela?
— Sai da frente que eu quero entrar.

Rafael dormia no sofá da saleta. Ronronar do refrigerador. Cheiro de maçã. Marcela aproximou-se do irmão e acomodou-lhe o cobertor. Abriu com cuidado a porta de comunicação e entrou no quarto do doente. Armando ergueu-se da poltrona. Um vulto escuro de cabelos brancos. Marcela olhou para o avô, imóvel sobre a cama alta. Armando aproximou-se e sussurrou:

— O enfermeiro saiu agorinha. Diz que tá tudo bem.
— Pois então agora o senhor vai dormir.
— Não posso. Quero ficá de olho no soro.

Marcela olhou para o frasco suspenso no pedestal.

— Ainda tem bastante.

E aproximando o pulso da lâmpada protegida pelo abajur:

— São quase seis horas. E tudo escuro deste jeito. Que noite comprida, minha Nossa Senhora!

Armando e Marcela olharam ao mesmo tempo para a imagem da santa. Um palmo e pouco de altura. A pintura azul desbotada. Marcela pegou a estatueta e beijou-lhe os pés.

— É tudo que nos restou da vó Florinda.

Armando puxou o lenço do bolso da bombacha e assoou o nariz. Marcela sentiu as lágrimas ardendo nos olhos cansados. Pensou na fotografia do pai e da mãe, no escritório de Silvestre. O vovô nos criou como filhos dele. Às vezes até esqueço que não tive pai nem mãe. Silvestre dormia com expressão serena. Marcela acariciou de leve o cabelo sedoso. Meio arrepiado contra o travesseiro. Inclinou-se e beijou-lhe o rosto. Bem de leve. Ouviu no seu íntimo Silvestre dar a resposta habitual.

— Muito obrigado.

Ana puxou para si a lata do açúcar. Serviu-se de duas colheres e botou mais um pouco. Mexeu lentamente o café. Largou a colher e segurou a caneca para aquecer as mãos. Diante dela, a vela clareava o rosto sisudo do sobrinho.

— Como é que tu nos achaste aqui, Alberto?
— Vi vocês na televisão. No Fantástico.
— Para alguma coisa nos serviu a Rede Globo.
— Te achei muito envelhecida. Conheci primeiro o padre.
— Por que tu não chama ele de tio?

Alberto não respondeu. Ana deu um gole pequeno no café quente.

— Não é à toa que eu estou ficando velha. Vou fazer quarenta anos.
— Tu ainda tá bonita. Foi implicância de eu.

Ana olhou-o fundo nos olhos azuis.

— Tu estavas com saudade de nós?
— Tinha uma coisa importante pra te mostrá.

Alberto meteu a mão no bolso da calça Lee e puxou um pequeno pacote meio amassado. Sem saber por que, Ana sentiu um arrepio percorrer-lhe a espinha.

– O que é isso, Alberto?
– Abre pra vê. Pra mim vale mais que ouro.
– Guarda pra ti. Eu não quero nada dos garimpos.

Alberto tirou uma faca pontuda da bainha e entregou-a segurando pelo cabo.

– Os cordão tão atado forte. Pode cortá.

Ana pegou a faca de má vontade e cortou os cordões sujos. Desembrulhou o pacotinho e ficou olhando para o conteúdo. Um saco de plástico estufado com uma coisa que parecia fumo preto.

– O que é isso, Alberto? Pelo amor de Deus!
– Isso é a barba que eu cortei do capitão Jesuíno. Depois de abri a barriga dele e furá os dois olho.

Ana largou a faca sobre a mesa. Começou a respirar pela boca. O peito oprimido. A voz sumida.

– Leva isso e... bota... bota no fogo. Por favor.

Alberto levantou-se.

– Alguém tinha que vingá a nossa família. Ele chorô de medo, o desgraçado! Eu tocaiei ele quase quatorze ano. Agora se acabô. Eu só tinha que vim aqui pra te contá..

Oito horas da manhã. O automóvel da Brigada Militar contorna a esquina da praça e para diante do Foro. Chuva miúda intermitente. Quase ninguém na rua. O tenente baixa o vidro e faz sinal para o PM parado diante da porta. O soldado se aproxima e bate continência. O capacete branco escorrendo água.

– O juiz já chegou?
– Sim senhor.
– Tem mais alguém com ele lá em cima?
– Não senhor.

O tenente virou-se para o banco de trás.

– O senhor pode descer, padre Schneider.
– E a minha irmã?
– Nós vamos levá-la até a Santa Casa. O juiz quer falar só com o senhor.

E dirigindo-se outra vez ao PM em posição de sentido:
— Acompanha o padre até o escritório do juiz. E volta para cuidar a porta aqui embaixo. Nós não vamos demorar.

Willy segurou rapidamente uma mão de Ana e saiu do carro. Desde que acordara, a irmã estava calada. O rosto numa expressão dura e distante. O PM precedeu o padre para mostrar o caminho. Subiram as escadas em silêncio. Diante da única porta aberta, o policial parou e bateu continência outra vez.

— Dá licença de entrá?

Sentado atrás de uma mesa atulhada de processos, o homem de óculos concordou com um sinal de cabeça. Depois baixou os olhos para os papéis e continuou lendo. Willy e o policial entraram na sala e ficaram parados na frente dele. O juiz concluiu tranquilamente a leitura e ergueu os olhos sobre os óculos. Rosto bem barbeado. Terno azul-escuro, camisa branca e gravata bordô. Os cabelos castanhos bem penteados para trás. Aparência de quem saiu há pouco do banho.

— Bom dia, padre Schneider. Queira fazer o favor de sentar-se.

E indicando a porta para o PM.

— Pode aguardar lá fora.

— O tenente mandou eu voltá para a frente do fórum.

— Está certo. Não deixe ninguém nos incomodar.

Willy sentou-se na cadeira indicada, segurando o guarda-chuva fechado com a mão direita. O juiz ficou a encará-lo por alguns momentos.

— O senhor é um homem coerente, padre Schneider. É a segunda vez que o encontro na contramão da História.

Willy olhou bem para o rosto do juiz.

— Desculpe, mas eu não me lembro de ter encontrado o senhor.

— Pois eu me recordo perfeitamente. Fiz tudo para defender sua integridade física naquela ocasião. Mas o senhor sempre foi um homem obstinado. Um homem que se diz cristão e sempre está do lado oposto da lei. Uma das piores espécies de subversivo que eu conheço.

– O senhor foi... foi policial no DOPS?

– Isso mesmo. Fiz carreira na polícia antes de prestar concurso para a magistratura.

Willy ficou uns instantes pensativo.

– Doutor... Roberto, não é? Agora me lembro bem. Foi em 1970.

O juiz colocou as mãos espalmadas sobre a mesa.

– Vinte anos depois das suas primeiras arruaças, o senhor continua atravessado no meu caminho. Mas eu também não mudei nada desde aquele tempo. Ainda estou disposto a negociar. A evitar a violência. Cheguei aqui como juiz substituto, mas não vou tolerar toda essa anarquia. O senhor tem alguma explicação para esses fatos absurdos?

Willy despertou de longe. A voz distraída.

– Fatos ... absurdos?

O juiz bateu forte com o indicador sobre os papéis à sua frente.

– Segundo o seu depoimento, os sem-terra vieram para cá ocupar uma fazenda com anuência prévia do proprietário. O senhor confirma essa declaração?

– Sim senhor. Nós recebemos um telegrama dele e depois um telefonema. A cópia do telegrama deve estar no processo.

– Um telegrama não é um documento. Na opinião do coronel Gilson, vocês forjaram toda essa situação. O senhor, a sua irmã e o seu cunhado. Envolveram o Sr. Silvestre Bandeira numa trama que acabou por lhe provocar um derrame cerebral.

Willy enfrentou o olhar penetrante do juiz.

– O meu cunhado e a minha irmã são herdeiros legítimos de metade dessas terras. Não havia razão para forjar nada. No dia dois de maio deste ano, o Seu Silvestre nos mandou o telegrama pedindo para trazer os colonos para cá.

– Pedindo! Aí é que está o absurdo! Nenhum fazendeiro abre a porteira para um bando de vagabundos. De marginais a soldo da esquerda fracassada. E se o Sr. Bandeira fez esse convite, é porque não estava no seu juízo normal. A arteriosclerose pode explicar esse tipo de comportamento.

Willy olhou calmamente para o magistrado.

– Quer dizer que o senhor acredita que ele nos chamou?

O juiz elevou mais o tom da voz.

– Mesmo que tenha chamado, o coronel Gilson teve razão de impedir esse ato de insanidade. De solicitar a interdição do sogro. De pedir auxílio à polícia para proteger o patrimônio sujeito à invasão.

– O coronel Gilson tem cometido toda sorte de arbitrariedades. Nosso advogado já registrou queixa pelo uso que ele faz de cárcere privado, de armas de guerra.

O juiz sacudiu a cabeça.

– Hoje cedo eu fui acordado com a notícia de que vocês mataram e roubaram mais três bois da Fazenda Ibirapuitã. O senhor nega ou confirma esse fato?

Willy manteve-se em silêncio. O juiz prosseguiu com mais veemência.

– Obstrução de vias públicas, abigeato, desobediência civil, falsidade ideológica, ameaças permanentes ao patrimônio de terceiros. Esse o retrato do Movimento dos Sem-Terra. Um bando de criminosos agindo com apoio de setores radicais da Igreja. Por que não buscam o caminho da lei?

– Porque a lei está do lado dos poderosos. Enquanto os colonos aguardam as promessas, nada acontece. A ocupação das terras é a maneira da nossa gente fazer greve. Chamar atenção sobre tanta injustiça.

– A justiça só se faz dentro da lei. Até a justiça divina.

– Quando o conheci, o seu Deus era outro. Acho que se chamava Segurança Nacional.

– Pois o seu não mudou nem com a queda do Muro de Berlim. Continua sendo Karl Marx.

O juiz levantou-se e caminhou até a janela. Olhou o quiosque da praça enfeitado com bandeiras verde-amarelas.

Ouviu o espocar de foguetes. Virou-se para o padre com a fisionomia serena.

– O Brasil vai ganhar esta Copa do Mundo. O presidente Collor precisa de todo apoio popular para o seu governo.

Willy falou com voz mansa.

– O povo brasileiro já é campeão mundial da dívida externa, da mortalidade infantil.

– Parece que nós dois não mudamos mesmo, não é?

– Nós não. Mas o Brasil mudou. Pelo menos, acho que hoje ninguém vai me torturar.

O juiz deu dois passos em direção ao padre. O rosto vermelho. Willy falou-lhe com voz mansa.

– O que quer de mim, doutor Roberto?

O rosto irado foi voltando ao normal. Uma máscara perfeita de homem bem-educado.

– Tenho planos para a minha carreira no judiciário. Não quero que a imprensa fique mexendo no meu passado. Por isso que o mandei chamar. Em troca do seu silêncio, vou segurar mais um pouco a ordem de expulsão dos sem-terra. Vou dar mais dez dias para vocês. Estou aqui apenas como juiz substituto. Não quero que essa bomba estoure na minha mão... Mas se a imprensa publicar a menor palavra a respeito da minha passagem pelo DOPS, eu mando evacuar o acampamento no mesmo dia. Debaixo de bala, se for preciso.

Willy ficou em silêncio. Os olhos claros fixos no rosto do juiz. O magistrado ergueu o braço em direção à porta.

– Agora pode ir. E não se esqueça de entrar um pouco na igreja. Fica logo aqui ao lado.

O padre sustentou o olhar irônico.

– Não se preocupe com isso. Ele está no meio de nós.

Dez dias de trégua. Willy desceu as escadas sorrindo. Diante do Foro, o carro da Brigada voltara ao mesmo lugar. O tenente acenou pelo vidro meio aberto.

– Padre Schneider, a sua irmã pediu para lhe avisar. O sr. Silvestre Bandeira acaba de falecer.

Epílogo

Uma verdadeira multidão diante do Foro. Ana olhou preocupada para Rafael. Sentiu uma pressão mais forte na mão entrelaçada. O sorriso amigo entre a barba crescida. Aconchegou-se mais ao ombro do marido. Atravessaram a rua sob a perseguição dos fotógrafos, dos microfones, das câmeras de TV. Aplausos e apupos. Aos tropeções, entraram pelo corredor de policiais que protegiam a porta. Um homem berrava meio engasgado na saliva:

– Não deixem a imprensa entrar! Não deixem a imprensa entrar!

Rostos curiosos pelas portas abertas. Uma calva suada movendo-se na frente do casal. Subiram as escadas com a mesma pressa. No andar superior, pararam ofegantes. Poucas pessoas pelo corredor. Os ruídos da rua mais abafados.

– Graças a Deus! Lá está o Bóris.

O cabelo meio despenteado. O nariz quebrado de boxeador. O bigode quase branco, de pontas caídas. A voz cava dominando a emoção.

– Alguém avisou a imprensa da entrega do testamento. O juiz está uma fera. Pensa que foram vocês.

Rafael encolheu os ombros. Ana arregalou um pouco os olhos verdes.

– Nós só ficamos sabendo que havia um testamento ontem à noite. Tu nunca nos contaste nada.

Bóris sorriu, emocionado.

– O advogado também tem seu confessionário. Vamos entrar? Os outros já estão lá dentro.

Momentos de tensão e constrangimento. Gilson mantendo-se distante de Rafael. Ana com os olhos no crucifixo atrás do juiz. Marcela com o rosto cansado. Bóris atento aos detalhes da audiência. Apenas a escrivã parecendo calma. Passando com rapidez para o papel as palavras do juiz.

A voz profissional e o bater da máquina. As cortinas fechadas contra a luz do sol.

"Aos quatro dias do mês de julho de 1990, no edifício do Foro, em Alegrete, na sala de audiências, às onze horas e dez minutos, presente o Excelentíssimo Senhor Doutor Juiz de Direito, comigo escrivã. Presentes o Doutor Bóris Luzzoli Cabrini e os Senhores Rafael Pinto Bandeira Khalil e Marcela Bandeira Khalil Fraga, herdeiros de Silvestre Pinto Bandeira."

Ana baixou os olhos cheios de lágrimas. Uma vontade enorme de sair dali. As palavras soando ocas em seus ouvidos.

"A seguir, pelo Doutor Juiz foi dito que, neste dia quatro de julho de 1990, em meu gabinete, foi-me apresentado pelo Doutor Bóris Luzzoli Cabrini o testamento cerrado de Silvestre Pinto Bandeira, constatando no ato de apresentação encontrar-se intacto, sem qualquer rasura no seu invólucro ou interior."

Gilson olhou desafiante para o ex-sargento. Marcela e Rafael se entreolharam. Ana tirou um lenço da bolsa, com a mão trêmula. Imponente sobre o estrado, o juiz dirigiu-se à escrivã.

– Determino a leitura do testamento.

Ninguém se olhou mais nos olhos. O som alto de uma música do lado da rua. A escrivã aguardou uns instantes. A música parou de repente. O juiz mandou a funcionária prosseguir.

"Eu, Silvestre Pinto Bandeira, achando-me bem de saúde, física e mentalmente, livre de coação, assim como de influências e sugestões, quis fazer as disposições de minha última vontade, tendo pedido ao meu advogado Bóris Luzzoli Cabrini que as escrevesse.

"Assim, livremente, ditei-lhe este testamento, que é o primeiro que faço e que tem o seguinte teor:

"Nasci no dia 16 de julho de 1900, no município de Alegrete, Estado do Rio Grande do Sul, contando atualmente 81 anos de idade. Sou filho de Maria Celeste Dornelles Bandeira e Aníbal Pinto Bandeira, ambos falecidos.

"Fui casado com Florinda Maria Vargas Bandeira, já falecida, com a qual tive uma única filha, de nome Marta Maria Pinto Bandeira.

"Esta filha contraiu núpcias com Elias Ahmed Khalil, tendo desse casamento nascido meus dois únicos netos: Marcela Bandeira Khalil e Rafael Pinto Bandeira Khalil, que hoje são meus herdeiros necessários.

"Meu desejo, ao final de minha existência, é legar a meu único neto varão, Rafael Pinto Bandeira Khalil, e a sua esposa, Ana Schneider Khalil, a propriedade rural que possuo no município de Alegrete localizada à margem esquerda do rio Ibirapuitã, local denominado 'Cabanha Ibirapuitã', constando de uma gleba de 4.528 hectares, incluindo casa, banheiros, galpões e demais benfeitorias e todo gado lá existente, incluindo os equinos."

Rafael apertou a mão de Ana a ponto de fazê-la gemer. Marcela estava pálida. Gilson respirava com ruído. O juiz parecia olhar para um ponto fixo do outro lado da parede. A escrivã compôs a voz e prosseguiu. Bóris ia repetindo mentalmente as palavras.

"A propriedade deverá ser entregue com todos os seus pertences, móveis, objetos e utensílios, assim como o material agrícola que possuir.

"À minha outra neta, Marcela Bandeira Khalil Fraga, e a seu marido, Gilson Fraga, lego todos os outros bens que possuo e que são os seguintes: um apartamento situado no Rio de Janeiro, na avenida Nossa Senhora de Copacabana, nº 1310; uma casa em Porto Alegre, localizada na rua Dr. Timóteo, nº 752; mais dois terrenos localizados no bairro Cidade Alta, em Alegrete, medindo cada um 25x70m; e mais todas as ações e dinheiro que possuir nas contas dos bancos onde sou correntista."

Gilson quase sorriu para a escrivã. A respiração de volta ao normal. Marcela permanecia com a mesma palidez no rosto. O juiz estimulou a escrivã a prosseguir.

"Desejo ainda que o meu neto Rafael Pinto Bandeira Khalil e sua esposa Ana Schneider Khalil ocupem os 200 hectares que circundam a casa de moradia, galpões e benfeitorias, para desenvolvimento da criação de gado Hereford, que lhes encareço conservar.

"O restante da propriedade, desejo que seja doado em partes iguais a no mínimo duzentas famílias, que deverão desenvolver-se e trabalhar a terra em regime comunitário."

"Ao fim de vinte anos, meu desejo é que a propriedade seja finalmente transmitida a estas famílias que trabalharam na posse destas terras."

Vermelho e pesadão, Gilson ergueu-se para protestar. Um olhar do juiz o fez sentar novamente. Ana olhava a escrivã como fascinada. Era a voz de Silvestre, que se ouvia agora com todas as suas entonações.

"Desejo que o testamento seja aberto dez dias após a minha morte, com o prazo, se possível, de um ano para seu cumprimento.

"Desta forma, tenho por feito meu testamento, o qual foi escrito pelo meu advogado, que é digno de minha inteira confiança, e rogo à justiça de meu país que o faça cumprir tal como nele se contém, por ser a expressão de minha última vontade. Depois de lido por mim e pelo meu advogado em voz alta que ouvi, vai este assinado a meu próprio punho, seguido da assinatura de quem o escreveu.

"Porto Alegre, 17 de março de 1982. Assinam Silvestre Pinto Bandeira e Bóris Luzzoli Cabrini."

Gilson livrou-se de Marcela, que procurava contê-lo, e ergueu-se como se fosse agredir o advogado.

– Esse testamento é uma farsa! Nenhum fazendeiro seria capaz de doar suas terras a um bando de vagabundos!

No alto do estrado, o juiz começou a rir. Willy saiu da sombra e avançou descalço pelo piso encerado. Todos os olhos se fixaram nele. Às costas do juiz, a cruz de Encruzilhada Natalino havia tomado o lugar do pequeno crucifixo.

Dezenas de panos brancos pendiam de suas traves horizontais. Cada um deles representava a morte de um colono.

— Não ria dos mortos, doutor Roberto! Pelo amor de Deus!

O riso continuou ainda mais alto. Ana ergueu-se com o filho nos braços e suplicou ao juiz:

— Deixe sair as crianças do acampamento!

Rafael estava caído junto à barraca. Willy procurou Bóris no meio do nevoeiro. Só enxergou o rosto comprido de cabeça para baixo. Sangrando lentamente pelo nariz. As palavras pingando da boca entreaberta.

— Precisamos... salvar... o tes... o testamento.

Uma voz conhecida grita às suas costas:

— Arranquem logo as roupas desse padre! Botem ele na cadeira do dragão!

O choque elétrico faz o corpo saltar para frente. Não é possível que estejam todos aqui. Senhor, tende piedade de nós. Jesus Cristo, tende piedade de nós... A cabeça do padre pula como se estivesse separada do corpo. O choque faz brotar chamas azuis dos cabelos grisalhos. E o grito maior vai se formando aos poucos na garganta.

— O Brasil está jogando muito melhor do que a Argentina.

— E adianta o quê? Eles é que fizeram gol.

— É uma injustiça! O Maradona faz uma única jogada e acaba com o nosso tetracampeonato...

— Ana, por favor, deita por cima dessa criança!

— Não tem perigo! As balas são de borracha.

— Vamos resistir, pessoal! A terra agora é nossa dentro da lei.

— Não é possível!? Eles não vão ter coragem de usar a metralhadora.

Uma rajada estala dentro da cabeça do torturado. O bastão elétrico volta a tirar faíscas de todos os metais. A dor chega ao extremo de seu limite suportável. E o grito explode finalmente, livre de todas as barreiras.

— AAAAAAAAIIIIIIIIIIIIIII!AAAAAAAAIIIIIIIIIIIII!

No imenso painel eletrônico do hospital, a luz vermelha se acende várias vezes. O médico de plantão e seu assistente vestem roupas brilhantes de astronautas. Na tela conectada ao quarto, surge a identificação do paciente que gritou.

– É o velho do 342. O pesadelo do testamento, outra vez.

– Que loucura é essa?

– Depois eu te explico. Aproxima a câmera do rosto dele.

Um rosto incrivelmente enrugado. Os olhos claros esbugalhados. O crânio despido de cabelos. A boca murcha contraída num *rictus* de dor.

– Vamos projetar os sinais vitais do paciente. Pressão, temperatura, frequência cardíaca e respiratória. Análise sanguínea também.

Novas imagens luminosas correndo da esquerda para a direita. Ruídos graves e agudos.

– Parece tudo em ordem. Não há nada somático que justifique a dor.

– Vamos projetar o encefalograma.

Traços de luz verde de extrema nitidez. O assistente olhou desconfiado para o colega.

– Mas que idade tem esse homem? Nunca vi tanta energia cerebral.

– Aciona o fichário eletrônico. É o segundo painel à tua esquerda. Ainda precisa teclar.

O jovem sentou-se diante do aparelho e teclou rapidamente as informações em código. A tela sobre a imagem do paciente passou a projetar algumas frases em letras luminosas.

Wilhelm Schneider, sacerdote cristão, nascido em 1945, internado no manicômio judiciário em 1990. Injúria cerebral irreversível consequente a traumatismo craniano.

O jovem ficou boquiaberto.

– Ele tem noventa e cinco anos de idade. Cinquenta anos internado neste hospital.

O médico mais velho trabalhava nos controles.

— Já dosei o nebulizador de sedativo. Aumenta em dois graus a temperatura do quarto, por favor.

— Ponho música também?

— Põe música de Bach. Ele vai entrar em alfa imediatamente.

— Tu conheces tão bem esse paciente?

A música clássica dominou os ruídos eletrônicos. O rosto do ancião começou a serenar. Todos os sinais em vermelho sumiram do painel.

— Ótimo! Ele está tranquilo outra vez.

— Mas a atividade cerebral permanece em níveis altíssimos.

O médico mais velho sorriu.

— É um caso fantástico até para mim que o sigo há muitos anos. Digno de uma tese para o Parlamento Latino-Americano.

— Um trabalho para um nível tão alto? É o sonho da minha vida.

— Eu sei. Uma tese de psiquiatria histórica com atualidade, para te fazer famoso em poucos meses.

— Atualidade? Usando um paciente com quase cem anos? Qual foi o traumatismo que o imobilizou?

— Uma coronhada na cabeça. Esse padre foi um dos malucos que lutou pela reforma agrária no século passado.

— Mas que coisa fantástica! Pensei que estivessem todos mortos.

O médico mais velho reclinou a poltrona, ajustando-a automaticamente à sua posição anatômica.

— Tu já ouviste falar em Ana Sem Terra?

— Claro, quem é que não ouviu? A minha mulher mantém um *poster* dela sempre projetado na nossa sala. Se eu quero mudar, ela fica furiosa.

— Tu conheces a estátua de Ana Sem Terra no Parque Assis Brasil?

— Aquela de acrílico tridimensional? É a escultura mais falada de 2040. Mas eu gosto muito também das imagens dela no Museu da Reforma Agrária. Aquela, com o filho diante da metralhadora, me deixa todo arrepiado. Ana Sem Terra é uma figura fantástica.

O médico mais velho interrompeu o *relax* e apontou para o rosto enrugado, ainda projetado na tela.

— O padre Schneider é irmão de Ana Sem Terra.

O jovem olhou-o com incredulidade.

— Irmão?! Se isso é verdade, ele ainda deve ter muitas informações úteis armazenadas no cérebro. Isolando-se as áreas lesionadas, poderíamos recriar sua vida desde pequeno. Com as técnicas modernas de tele-hipnose, checaríamos todas as informações com o arquivo histórico. Poderíamos traçar o perfil emocional de Ana e verificar a verdade histórica de muitos dos seus atos.

— Venho me dedicando a isso há muitos anos. Chequei várias vezes o pesadelo do testamento com velhos jornais e teipes de 1990. Tenho muitas horas de material à tua disposição. Mas quero te prevenir desde já. Foi uma verdadeira loucura social aquele período.

O jovem também inclinou a poltrona.

— Loucura por quê?

— O povo passava fome sem poder plantar para comer. Uns poucos capitalistas controlavam todas as terras férteis. Pela legislação antiga, o direito da propriedade estava acima do direito à vida.

— Mas que absurdo! Por isso havia tanta miséria. Tantas doenças carenciais.

— Os pobres morriam como moscas, principalmente os velhos e as crianças. Mas havia também situações ridículas. Naquele tempo, o Brasil sonhava em eleger um presidente da República. Essa figura arcaica era o desejo maior de muitos países como solução mágica para todos os problemas.

— Que engraçado!

– Pela mesma época da morte de Ana Sem Terra, três candidatos a presidente da Colômbia foram assassinados numa única campanha eleitoral. Como o Japão estava em ascensão econômica, os peruanos elegeram presidente um desconhecido, que se revelou depois um grande corrupto, só porque era filho de um japonês. Mas o pior foi o Brasil. Parece que tinha passado quase trinta anos sem eleger um presidente da República.

– E conseguiu eleger?

– Conseguiu em fins de 1989. Em março de 1990, o tal presidente assumiu cheio de promessas liberais. E a primeira coisa que fez foi sequestrar todo o dinheiro poupado pelo povo.

– Parece até a velha fábula das rãs que queriam um rei.

– Foi uma época de absurdos. Hoje nós damos tanto estímulo ao ensino básico, valorizamos até demais os professores. Pois, naquela época, uma professora primária chegava a trabalhar dez anos para ganhar o salário mensal de um deputado.

– E ninguém reagia a tudo isso?

O médico olhou para o rosto encovado do paciente.

– Esse aí reagiu. Acompanhou a irmã na luta pela reforma agrária. Foi no tempo que começou a despertar também a consciência ecológica. Tu sabes que eles quase não usavam energia solar?

– Não é possível! Nem para o transporte coletivo?

– Só para alguns poucos chuveiros. Mas faziam barragens enormes que engoliam áreas de terra fértil e ainda arriscavam afogar populações inteiras. Quando foi esgotado o lago de Itaipu, encontraram uma catarata tão linda quanto a de Iguaçu. Um ponto turístico que hoje rende milhões... Mas isso não foi nada. Eles quase explodiram o planeta brincando com energia nuclear.

O assistente ficou pensativo por alguns momentos.

– O tema Ana Sem Terra é apaixonante. Tu me ajudarias com o embasamento histórico da tese?

— Todos os meus registros estão à tua disposição. Basta ordená-los cronologicamente. E aplicar a tua própria intuição. A tua aura positiva. Eu gosto mesmo é de ficar mexendo com estas maquininhas.

— Tu não tens contato direto com os pacientes?

— É claro que sim. Mas não sou um sensitivo como tu és. Queres conhecer o padre de perto? Está tudo calmo no plantão. Acho que podemos sair um pouco.

O jovem adaptou os controles para registro manual e fez mais uma pergunta.

— O que significa o pesadelo do testamento? Tem alguma base real?

— Os jornais de 1990 exploraram muito essa história. Alguns poucos acusaram um juiz de haver extraviado o testamento. Parece que era alguém comprometido com torturas e tráfico de entorpecentes.

— Um juiz togado? E por que ele faria isso?

— Por dinheiro. E foi essa a causa principal do Massacre do Ibirapuitã.

— Quando morreu Ana Sem Terra?

— Exatamente. Os colonos sobreviventes juravam que havia um testamento do antigo proprietário, que lhes doara uma grande área de terra. Uma área considerada intocável pelos latifundiários. Em plena região de pecuária extensiva.

— O que era isso?

— Um sistema que alimentava um boi em dez mil metros quadrados de área.

— Só um boi? Mas que desperdício!

— Tudo era assim naquele tempo. Mas o desperdício maior era com a vida humana. Morria mais gente em desastres de automóveis e caminhões do que de doenças cardíacas. A AIDS era considerada por muitos um castigo do céu contra os homossexuais. Todo mundo sabia que o cigarro era cancerígeno, que o benzopireno da explosão da gasolina era cancerígeno, e seguiam fumando e acelerando fumaça de carcinoma na cara dos outros.

– Isso que o câncer ainda não tinha cura.

– Nem a nossa profissão escapou. Batemos no fim do século XX o recorde mundial de cesarianas por parto. Os médicos precisavam operar para comer.

Chegados ao corredor silencioso, ligaram a esteira rolante. Ainda falando e gesticulando, foram projetados até a porta do quarto 342. O médico de plantão consultou o painel externo e avançou o cartão magnético para a fenda da porta. O assistente falou-lhe com cuidado.

– Sei que a responsabilidade é tua. Mas vamos acionar as máscaras? Ainda tem sedativo em suspensão no ar.

– Obrigado. Estou perdendo a prática do manual.

Com as máscaras transparentes sobre o rosto, o oxigênio passou a ser liberado individualmente. Abriram a porta e entraram no quarto em obscuridade. O ancião repousava sobre a cama baixa. Os controles no painel registravam em linhas verdes todos os relevos da atividade vital. A música de Bach parecia embalar como um acalanto. O médico mais velho passou em revista todos os detalhes clínicos e apontou para a mão direita do assistente.

– Podes tirar a luva. Basta um toque leve na testa.

O jovem obedeceu. Avançou cautelosamente e colocou-se do outro lado da cama. Inclinou-se e aproximou a mão nua da testa do paciente. Retirou-a logo com um gesto brusco. O outro médico sorria com os dentes brilhando na luz negra.

– É incrível o que ele transmite de energia, não é?

– Mas o que é isso? Um gerador cerebral?

– Poderia ser chamado assim. Já perdemos a conta do número de transfusões cerebrais que ele ofereceu... E agora? Qual é a tua decisão a respeito da tese?

O jovem ficou uns momentos pensativo.

– Quero ser sincero contigo, Bóris. Essa tese vai fazer famoso o seu autor. Por que tu insistes em dá-la de presente para mim?

O chefe do plantão começou a manipular os controles na manga do uniforme.

– O que estás fazendo?
– Desligando este quarto do painel central. Não quero registros do que vou te dizer.

A câmera que captava todos os movimentos imobilizou-se no alto do teto. Sumiram todos os sinais luminosos do painel. Calou-se a música. Apenas os uniformes transmitiam uma luz fosforescente.

– Tu tens medo de espiões? O assunto é tão grave assim?
– É muito grave. O Parlamento Latino-Americano tem inimigos poderosos. A espionagem eletrônica não tem limites. Quero te fazer uma confissão. Eu não posso defender essa tese, porque serei considerado suspeito. Eu sou neto do advogado que redigiu o testamento. E que também foi morto no massacre dos colonos sem-terra.

– Entendo. E o que te faz temer a espionagem?
– O meu irmão trabalha na Central de Comunicação. Ele me disse que grande parte da população latino-americana vem recebendo uma mensagem subliminar. Estamos às vésperas do 5 de julho. O Parlamento pretende comemorar dignamente a data. São cinquenta anos do Massacre do Ibirapuitã. Da morte de Ana Sem Terra.

– E o que diz a mensagem subliminar?
– Querem transformar Ana num simples mito. Segundo eles, ela nunca existiu como a cultuamos. Teria sido apenas uma prostituta dos garimpos do norte.

– Mas isso é uma infâmia! Tentaram também desacreditar Chico Mendes no cinquentenário do seu assassinato.

– A mesma técnica está sendo usada agora. Os neocolonialistas não têm muita imaginação. Mas grande parte do povo acredita nessas mentiras.

E apontando para o ancião adormecido.
– Apenas os registros que colhi deste velho cérebro são capazes de provar a verdade.

O jovem tinha os olhos brilhantes. A aura positiva em seu ponto máximo. O mais velho retirou a luva e estendeu-lhe a mão direita.

— O que é isso?

— Um acordo sem assinatura do século passado. Se me deres tua palavra de honra que defenderás Ana Sem Terra, podes me apertar a mão.

Por sobre o peito do ancião adormecido, as mãos foram se aproximando e se uniram num aperto formal. Emocionados, os dois médicos permaneceram alguns segundos nessa posição. Depois se separaram e o mais velho religou os contatos com o mundo exterior. Voltou suave a música clássica e os sinais vitais retomaram sua grafia verde no painel. A câmera movia-se novamente, captando todos os detalhes.

Do lado de fora do quarto, o Dr. Bóris retirou a máscara e respirou fundo.

— Vamos caminhar um pouco? Todo esse automatismo está enrijecendo as minhas articulações.

Deixado só na luz negra do quarto, Willy abriu os olhos e sorriu. Suas mãos descarnadas foram subindo lentamente e os dedos se cruzaram sobre o peito. Os lábios murchos começaram a repetir a oração que a mente transmitia. Pai Nosso que estais no céu, santificado seja o Vosso nome, venha a nós o Vosso reino, seja feita a Vossa vontade assim na terra como no céu. O pão nosso de cada dia nos dai hoje. Perdoai as nossas ofensas, assim como nós perdoamos a quem nos tem ofendido. Não nos deixeis cair em tentação, mas livrai-nos do mal, amém.

No painel eletrônico, os sinais vitais foram passando do verde para o vermelho. As linhas perderam os relevos verticais. Em poucos momentos, o sorriso imobilizou-se no rosto do ancião. Apenas a música de Bach continuava a tocar. Mais alguns segundos, e o computador desligou-a automaticamente. O corpo morto já descansava em paz.

Sobre o autor

ALCY CHEUICHE é um dos escritores gaúchos mais lidos no Brasil, e várias de suas obras foram publicadas em outros idiomas, como o espanhol, o francês, o inglês e o alemão. Na Alemanha, um de seus romances históricos, *Ana sem terra* (L&PM, 2007), recebeu da imprensa de Berlim uma opinião definitiva: "Ler Alcy Cheuiche é o melhor caminho para penetrar nos mistérios da literatura brasileira e latino-americana". Dentre as muitas distinções que recebeu, destaca-se sua eleição por editores, livreiros e uma centena de entidades culturais para patrono da Feira do Livro de Porto Alegre (2006), palco literário a que volta todos os anos desde sua estreia, em 1967, com o romance *O gato e a revolução* – obra que escreveu ainda estudante na França e na Alemanha.

Coleção **L&PM** POCKET
ÚLTIMOS LANÇAMENTOS

1310. **Peter Pan** – Monteiro Lobato
1311. **Dom Quixote das crianças** – Monteiro Lobato
1312. **O Minotauro** – Monteiro Lobato
1313. **Um quarto só seu** – Virginia Woolf
1314. **Sonetos** – Shakespeare
1315.(35). **Thoreau** – Marie Berthoumieu e Laura El Makki
1316. **Teoria da arte** – Cynthia Freeland
1317. **A arte da prudência** – Baltasar Gracián
1318. **O louco** *seguido de* **Areia e espuma** – Khalil Gibran
1319. **O profeta** *seguido de* **O jardim do profeta** – Khalil Gibran
1320. **Jesus, o Filho do Homem** – Khalil Gibran
1321. **A luta** – Norman Mailer
1322. **Sobre o sofrimento do mundo e outros ensaios** – Schopenhauer
1323. **Epidemiologia** – Rodolfo Sacacci
1324. **Japão moderno** – Christopher Goto-Jones
1325. **A arte da meditação** – Matthieu Ricard
1326. **O adversário secreto** – Agatha Christie
1327. **Pollyanna** – Eleanor H. Porter
1328. **Espelhos** – Eduardo Galeano
1329. **A Vênus das peles** – Sacher-Masoch
1330. **O 18 de brumário de Luís Bonaparte** – Karl Marx
1331. **Um jogo para os vivos** – Patricia Highsmith
1332. **A tristeza pode esperar** – J.J. Camargo
1333. **Vinte poemas de amor e uma canção desesperada** – Pablo Neruda
1334. **Judaísmo** – Norman Solomon
1335. **Esquizofrenia** – Christopher Frith & Eve Johnstone
1336. **Seis personagens em busca de um autor** – Luigi Pirandello
1337. **A Fazenda dos Animais** – George Orwell
1338. **1984** – George Orwell
1339. **Ubu Rei** – Alfred Jarry
1340. **Sobre bêbados e bebidas** – Bukowski
1341. **Tempestade para os vivos e para os mortos** – Bukowski
1342. **Complicado** – Natsume Ono
1343. **Sobre o livre-arbítrio** – Schopenhauer
1344. **Uma breve história da literatura** – John Sutherland
1345. **Você fica tão sozinho às vezes que até faz sentido** – Bukowski
1346. **Um apartamento em Paris** – Guillaume Musso
1347. **Receitas fáceis e saborosas** – José Antonio Pinheiro Machado
1348. **Por que engordamos** – Gary Taubes
1349. **A fabulosa história do hospital** – Jean-Noël Fabiani
1350. **Voo noturno** *seguido de* **Terra dos homens** – Antoine de Saint-Exupéry
1351. **Doutor Sax** – Jack Kerouac
1352. **O livro do Tao e da virtude** – Lao-Tsé
1353. **Pista negra** – Antonio Manzini
1354. **A chave de vidro** – Dashiell Hammett
1355. **Martin Eden** – Jack London
1356. **Já te disse adeus, e agora, como te esqueço?** – Walter Riso
1357. **A viagem do descobrimento** – Eduardo Bueno
1358. **Náufragos, traficantes e degredados** – Eduardo Bueno
1359. **Retrato do Brasil** – Paulo Prado
1360. **Maravilhosamente imperfeito, escandalosamente feliz** – Walter Riso
1361. **É...** – Millôr Fernandes
1362. **Duas tábuas e uma paixão** – Millôr Fernandes
1363. **Selma e Sinatra** – Martha Medeiros
1364. **Tudo que eu queria te dizer** – Martha Medeiros
1365. **Várias histórias** – Machado de Assis
1366. **A sabedoria do Padre Brown** – G. K. Chesterton
1367. **Capitães do Brasil** – Eduardo Bueno
1368. **O falcão maltês** – Dashiell Hammett
1369. **A arte de estar com a razão** – Arthur Schopenhauer
1370. **A visão dos vencidos** – Miguel León-Portilla
1371. **A coroa, a cruz e a espada** – Eduardo Bueno
1372. **Poética** – Aristóteles
1373. **O reprimido** – Agatha Christie
1374. **O espelho do homem morto** – Agatha Christie
1375. **Cartas sobre a felicidade e outros textos** – Epicuro
1376. **A corista e outras histórias** – Anton Tchékhov
1377. **Na estrada da beatitude** – Eduardo Bueno
1378. **Freud: a cura pelo espírito** – Stefan Zweig
1379. **O nascimento da tragédia** – Friedrich Nietzsche
1380. **Tempos difíceis** – Charles Dickens
1381. **A aventura da tumba egípcia e outras histórias** – Agatha Christie
1382. **O sonho e outros contos** – Agatha Christie
1383. **Uma paixão no deserto** *seguido de* **A paz conjugal** – Honoré de Balzac
1384. **Um episódio durante o terror** *seguido d*e **A falsa amante** – Honoré de Balzac
1385. **Vamos colorir!!!: Um livro para todas as idades** – L&PM Editores
1386. **Feliz por nada** – Martha Medeiros
1387. **Simples assim** – Martha Medeiros
1388. **A graça da coisa** – Martha Medeiros
1389. **A forma da água** – Andrea Camilleri
1390. **O cão de terracota** – Andrea Camilleri
1391. **Resumo da ópera** – A.S. Franchini
1392. **Doidas & santas** – Martha Medeiros

lepmeditores

www.lpm.com.br
o site que conta tudo

IMPRESSÃO:

PALLOTTI
GRÁFICA

Santa Maria - RS | Fone: (55) 3220.4500
www.graficapallotti.com.br